El último verano de Silvia Blanch

D1233994

Crimen y Misterio

Biografía

Lorena Franco (Barcelona, 1983) ha conseguido seducir a más de 250.000 lectores de todo el mundo con sus más de 15 títulos, que la han convertido en una de las escritoras más vendidas y mejor valoradas en la plataforma de Amazon desde que en 2016 salió a la luz su novela *La viajera del tiempo*, un fenómeno de ventas sin precedentes en España, EE. UU. y México. Desde entonces, sus otros títulos consiguen alcanzar el número 1 de ventas en digital a nivel internacional. Traducida en Italia, Polonia y República Checa, regresa con *El último verano de Silvia Blanch*. En la actualidad compagina la literatura con su carrera como actriz, en la que acaba de debutar en Bollywood con el film *Paharganj*.

www.lorenafranco.net

 @bylorenafranco

 @bylorenafranco

 lorenafranco.oficial // lorenafranco.escritora

Lorena Franco
El último verano de Silvia Blanch

Planeta

© Lorena Franco, 2020
    Esta edición se ha publicado gracias al acuerdo con Hanska Literary&Film Agency,
    Barcelona, España.
© Editorial Planeta, S. A., 2021
    Avinguda Diagonal, 662, 6.ª planta. 08034 Barcelona (España)
    www.planetadelibros.com

Adaptación de la cubierta: Booket / Área Editorial Grupo Planeta
Imagen de la cubierta: © Carmen Spitznagel / Arcangel
Primera edición en Colección Booket: febrero de 2021

Depósito legal: B. 19.903-2020
ISBN: 978-84-08-23745-7
Impresión y encuadernación: CPI (Barcelona)
Printed in Spain - Impreso en España

A Marc, Pol, Chloe y Jan.
Todos para uno y uno para todos.

Somos fácilmente engañados
por aquellos a quienes amamos.

MOLIÈRE

27 DE JULIO DE 2017
LA DESAPARICIÓN DE SILVIA BLANCH
—

BERTA

Mi madre solía decir: «Cuando hace mucho calor pasan cosas malas».

Siempre ignoré sus profecías hasta ahora. Hoy sus palabras son clavos ardiendo en mi piel.

Cáncer. Hasta hace solo dos horas, esta palabra no significaba nada para mí, solo un signo zodiacal que a veces leo porque es el de mi exmarido, y una enfermedad que le diagnostican a otros.

A otros.

No a mí.

¿Qué va a ser de Ana? ¿Qué va a ser de mi pequeña Esther? Soy lo único que tienen.

¿Por qué yo?

Las lágrimas me dificultan ver con claridad la carretera; agarro con fuerza el volante cuando llegan las curvas que tan bien conozco. Las recorro a diario. Mi sueldo de limpiadora de oficinas no me da para el alquiler de un piso en Barcelona, donde tengo que bajar a trabajar cada día, así que llevo viviendo en la casona familiar de Montseny desde que Robert se fue a por tabaco y no volvió. Aunque vieja y destartalada, nos sirve de cobijo a mis hijas y a mí. Es mejor que no tener nada. Mejor que vivir bajo un puente. Mejor que pedir en el metro. Con qué poquito he sabido consolarme siempre.

Respiro hondo. Pestañeo repetidas veces tratando de alejar las lágrimas. Intento pensar en positivo a pesar de este nudo en la garganta. La gente del pueblo es agradable. Llegado el momento, ayudarán a mis hijas si les falto. Eso quiero creer.

Dios mío.

Ya estoy imaginando cómo serán sus vidas sin mí.

¿Funcionarán las sesiones de quimioterapia? ¿La operación? ¿Conseguirán quitarme el bicho? Así lo ha llamado el doctor: «el bicho».

Las preguntas se amontonan en mi cabeza abotargada. La falsa esperanza de que todo va a ir bien me reconforta solo un poco, porque la posibilidad de que vaya mal está más presente. Visualizo la sonrisa del doctor. Parecía sincero al decirme que teníamos posibilidades, pero con el bicho nunca se sabe.

Todo el mundo teme morir; nadie está preparado para ese momento.

Mis lamentaciones y mi agonía van *in crescendo* con la misma rapidez con la que el cielo, de color oro rosado, empieza a oscurecerse y a poblarse de grandes nubes parecidas al humo de un fuego arrasador lejano. Vislumbro, a unos metros, el coche de la pequeña de los Blanch. Las ruedas de mi fatigoso Clio chirrían mientras tomo la curva despacio y compruebo si todo va bien, si necesita ayuda. Miro por el retrovisor y, al ver que no viene ningún otro coche, me permito la licencia de detenerme junto al Mini blanco de Silvia, cuya silueta veo moverse tras los arbustos en compañía de su novio de toda la vida, Daniel.

Sonrío con tristeza. Me dejo llevar por la nostalgia que me provocan los recuerdos. Bendita juventud. Benditos los arranques de pasión que te hacen cometer la locura de dejar el coche mal estacionado en una carretera estrecha de doble sentido sin apenas visibilidad.

Las siluetas, apasionadas, se mueven con determinación una frente a la otra, y yo, enjugándome las lágrimas, sigo mi camino preguntándome cómo demonios les voy a decir a mis hijas que tengo cáncer.

UN AÑO DESPUÉS
—

ALEX

Nunca he visto a mis padres tan orgullosos de mí. Les emociona abrir el periódico y ver el nombre de su hija —sin diminutivo, como a ellos les gusta— en la sección de noticias: Alejandra Duarte López.

—Como algo rápido y me voy, que hay lío en la redacción —le digo a mamá dándole un beso en la mejilla.

—Siempre con prisas, Alejandra —se queja—. Llévate un táper. ¿A que tienes la nevera vacía?

Me encojo de hombros y río. Las madres son adivinas.

Llego diez minutos tarde a la redacción. Son las cuatro y diez minutos, según indica el reloj de pared, y cuando Pol, el director, saca medio cuerpo por la puerta acristalada de su despacho y me llama, pienso en la excusa perfecta: retraso en el metro, alguien se ha tirado a la vía. Luego recuerdo dónde estoy. Que alguien se tire a la vía es noticia, por lo que sonrío fingiendo que reviso unos boletines, cojo mi móvil y me levanto con discreción.

—Te vas —dice dándome la espalda y volviendo con tranquilidad a su sillón de cuero.

—¿Cómo que me voy? Solo he llegado diez minutos tarde, no…

—A Montseny —me interrumpe—. Te vas a Montseny a pasar el fin de semana. El día 27, justo en una semana, se cumple un año de la desaparición de Silvia Blanch, ¿recuerdas el caso?

—Sí, aunque fue Dídac quien estuvo allí. —«¿No recuerdas cuánto me fastidió que no me dieras la noticia?», me callo.

—Lo sé, pero Dídac está de vacaciones y no conozco a nadie más sentimental que tú en este periódico. ¿Aún escribes novelas románticas?

—No, ahora me he decantado por la novela negra.

—Ah, estupendo. A ver si un día de estos nos sorprendes —suspira poniendo los ojos en blanco sin disimular su nulo entusiasmo por mi futuro literario. Me tiende una carpeta marrón. Enarca las cejas y me dedica una sonrisa, una de esas con las que tiene conquistada a media redacción—. Quiero publicar el artículo el viernes que viene.

Abro la carpeta. Los ojos de Silvia Blanch me miran fijamente. Tan verdes, grandes y brillantes como esmeraldas, transmiten fuerza e inteligencia. Melena castaña recogida en una coleta alta; labios finos, con el gesto serio; pómulos altos, envidiables; piel bronceada y nariz recta. Se adivina una blusa de manga corta de color fucsia, puede que fuera la preferida de su armario; era la misma que llevaba cuando desapareció. Sobre su hombro derecho sobresale la mano fuerte de un hombre, seguramente la de Daniel Segura, su novio desde que tenían dieciséis años. No sé lo que me está diciendo Pol; me he quedado embelesada con la fotografía que apareció en todos los medios de comunicación el año pasado, cuando saltó la alarma tras llevar 72 horas desaparecida. La última persona que la vio fue una vecina. Durante todo el verano, día sí, día también, los periódicos y los canales de noticias nos mostraban esta misma imagen, y luego, en otoño, se esfumó. Ya no era de rabiosa actualidad. El mundo olvidó a Silvia Blanch como olvida diariamente tantas tragedias ajenas.

En España se producen alrededor de 38 desapariciones diarias. Eso son unas 14.000 personas al año. Los registros señalan que en un año hay 140 personas de las que no se vuelve a saber nada. Desde que en 2010 entró en funcionamiento el PDyRH (Personas Desaparecidas y Restos Humanos), el número de denuncias ha llegado a la friolera de 121.118, de las cuales el año pasado permanecían activas 4.000, y eso sin contar con las anteriores que no fueron denunciadas. Algunos de los desaparecidos son encontrados vivos o muertos. Después de todo, las desapariciones suelen tener una explicación.

Silvia Blanch llamó la atención por la insistencia de sus padres. Por guapa. Por joven. Porque se llevaba bien con todo el mundo y no tenía problemas con nadie ni antecedentes de una mala reputación. Era una mujer ejemplar con un futuro prometedor. Fue de interés para los medios por su extraña desaparición. Su coche, un Mini blanco, con las llaves en el contacto y el motor apagado, apareció abandonado en una de las curvas que llevan a Montseny, el pueblo donde vivía con su novio y en el que reside su familia. Lo insólito era que la puerta del copiloto estaba abierta, pero no había restos de sangre ni indicios de violencia que hicieran pensar que se la llevaron a la fuerza. Con ayuda de cientos de voluntarios, realizaron una amplia búsqueda por la zona durante varias semanas. Se repartieron folletos y pegaron carteles en toda la comarca. Se ofrecía recompensa. Los buzos inspeccionaron el fondo del pantano de Santa Fe, el más cercano al pueblo, para dar con el cuerpo de la joven o al menos con alguna pista. Las búsquedas resultaron infructuosas, no encontraron ni siquiera su teléfono móvil, aunque decían que parecía que lo tuviera pegado con pegamento en la mano, y que dejó de dar señal la misma noche en la que la esperaban en casa para cenar y no apareció. Solo hubo un testimonio, el de una mujer llamada Berta Bruguera, que aseguró haber visto a Silvia con su novio tras los matorrales de la cuneta que lindan con el bosque un poco antes de las diez de la noche. Pero las probabilidades de que fuera Daniel eran nulas, porque estaba en Barcelona jugando un partido de fútbol con sus compañeros de trabajo. Quedaba descartado como sospechoso, tenía una coartada sólida, y Berta acabó reconociendo que en realidad solo vio dos siluetas. No llegó a distinguir las caras; a esa hora estaba oscureciendo. Las lágrimas y la voz entrecortada del novio en televisión eran sinceras. Entonces, ¿quién era el hombre al que la vecina vio la misma noche en la que le habían diagnosticado un cáncer de pecho? Nadie lo sabe. ¿Qué le ocurrió a Silvia Blanch? Su desaparición no tardó en difuminarse hasta desaparecer del todo por falta de pruebas. La gente tampoco tardó en dar su opinión. Para la mayoría fue más fácil pensar que la joven se había ido por voluntad propia y que debía estar en algún lugar, lejos del pueblo del que decía, a veces, que se le quedaba pequeño. También se barajó la hipótesis del secuestro, pero duró poco; Silvia no provenía de una familia rica como para pedir un rescate, y hoy ya no se habla de esa posibilidad. Lo único evidente es que en una semana se cumplirá un año desde que se evaporó. Qué corto les debe parecer el tiempo a los muertos. Estoy en el bando de los que creen que Silvia Blanch ya no existe en este mundo.

¿Qué le pudo ocurrir? Lamento no tener la respuesta.

—Sus padres y su hermana están de acuerdo en hablar con un periodista. No llevamos fotógrafo, que se me sale del presupuesto. Utilizaremos fotos de archivo —añade Pol rápidamente, como si tuviera activado el piloto automático—.

La dirección está en la carpeta, he concertado la cita para mañana por la mañana a las diez. Les he dicho que eres la mejor. Se hablará del caso, claro, pero, por lo que tengo entendido, ningún otro periódico ha tenido la genial idea de ir hasta allí, hablar con la familia y escribir algo ñoño después de un año. Colaborarán contigo con la intención de que vuelva a activarse la búsqueda y Silvia no se convierta en un caso perdido y olvidado que archivaron a los tres meses. Sobre todo, Alex, quiero que ahondes en el dolor de esos padres que no han vuelto a saber nada de la hija de la que más presumían. En el dolor de esa hermana que escribió un artículo en el que dijo que le faltaba su otra mitad. En el dolor de…

—Lo he pillado, Pol.

—Me tengo que ir —dice con prisas mirando el reloj—. ¿Necesitas algo más?

—¿Dónde me hospedo? —pregunto levantándome al mismo tiempo que él—. ¿O tendré que subir y bajar desde Barcelona? Se tarda algo más de una hora en llegar, ¿a que sí?

—Te lo he dicho al principio, Alex… ¿Dónde tienes la cabeza? —replica exhausto. Cómo se nota que es viernes—. Tienes reserva para esta misma noche y la de mañana en el hostal Montserrat. Vuelve el domingo, cuando lo tengas listo, y el lunes a primera hora quiero que se me salten las lágrimas con tu artículo. ¿Hecho?

—Vale. ¿Me pagarás la gasolina? ¿Un extra por trabajar en fin de semana?

Para cuando termino de formular mis reivindicaciones, y antes de que me dé tiempo a pedirlas por escrito, Pol ya ha salido de su despacho. Con la carpeta del caso Blanch bajo el brazo y mi móvil en la mano, vuelvo a mi cubículo, cojo el bolso, me despido de los cuatro periodistas que quedan un viernes por la tarde y salgo a la calle, donde el golpe de calor me azota sin piedad.

Menos mal que es verano y no anochece hasta tarde. No quisiera verme conduciendo por estas curvas de noche; la carretera da miedo. Reduzco la velocidad cuando paso por el lugar donde encontraron el coche de Silvia. Su foto y unas flores colgadas en el poste que hay tras los matorrales me indican que el misterio se inició en este punto que tantas veces vi en televisión; nunca en directo. Hay alguien que todavía no ha perdido la esperanza de encontrarla, ya sea viva o muerta.

No paro de darle vueltas al asunto, igual que hace un año, cuando desapareció. Tenía mi edad. Ahora tendría, igual que yo, veintinueve años, y una vida mucho más ordenada y estable que la mía. Podría haber sido yo, pero le tocó a ella. ¿Está en algún lugar, lejos, riéndose de nosotros? ¿Fue víctima de un asesino despiadado a quien ni siquiera conocía? En mi opinión, pese a que los medios mostraron un interés excesivo por la chica, la Policía se rindió muy rápido cuando descartó a los principales sospechosos. Antes de coger el coche, he visto varios vídeos en YouTube. Declaraciones de sus padres. El padre parecía muy enfadado, como para no estarlo, y con los ojos inyectados en sangre, como si la noche anterior se hubiera emborrachado, dijo con contundencia: «Si no van a formar parte de la solución, que no formen parte del problema».

Y ahí terminó todo. Sin sospechoso, ni móvil, ni arma, ni huellas, ni un solo testigo fiable, ni pruebas…, ni una sola pista útil. Caso archivado. Fin para algunos; el inicio de un insufrible tormento para otros.

«No saber qué fue de…»

¿Acaso existe algo peor?

Silvia Blanch estudió Derecho en la Universidad de Barcelona y, nada más terminar, la contrataron en el mismo bufete de abogados donde había hecho las prácticas. Era deportista, se le daba bien jugar al tenis, y hasta había hecho sus pinitos en algún torneo local. Llevaba saliendo con Daniel desde los inocentes dieciséis años; parecían la pareja perfecta, con planes de futuro, casarse, tener hijos... Vivían juntos en el pueblo y bajaban a diario a Barcelona para ir a trabajar. Tenían amigos, eran populares, salían con la misma gente desde que tenían cinco años. No he llegado a Montseny, pero lo imagino idílico, con casas de piedra, buenas vistas, olor a leña y gente amable y hogareña que te saluda aunque no te conozca.

—Pudo ser un forastero. Es lo que todos creyeron —digo en voz alta, tratando de sintonizar la emisora de radio. Se ha perdido la señal. Le echo un vistazo rápido al móvil. No hay cobertura. Mierda.

¿Y el cuerpo?

Un cuerpo no desaparece así como así. Tarde o temprano, dan con él.

Un escalofrío me recorre la espina dorsal cuando paso por un restaurante de carretera y veo a cuatro ancianos sentados en sillas de plástico fumando puros y sosteniendo unos carajillos. Qué visión tan esperpéntica, tan de película de terror en la típica y previsible Ruta 66. Parecen cuatrillizos, van vestidos igual: pantalones marrones de hilo y camisas con estampado de cuadros. Me miran con desconfianza. Ya. La forastera ahora soy yo.

Sigo carretera arriba muy despacio. No conozco las sinuosas curvas que se me presentan; debo ser precavida. Tras la montaña se ocultan las típicas casas campestres, de piedra y tejado de pizarra, a las que se accede por caminos de tierra flanqueados por frondosos árboles. Por fin llego al Passeig de la Font, que me da la bienvenida al pueblo. El centro, aunque diminuto, es bonito. Por poco no atropello a un niño que está distraído jugando al balón, y otro, a lo lejos, montado en su bicicleta, me grita: «¡Zorra!».

Ajá, sí, un pueblo idílico, tal y como había imaginado, aunque el delito principal debe ser beber hasta altas horas de la madrugada y regresar a casa en coche. Que alguien hubiera podido hacerle algo a Silvia les parecía inverosímil a los tranquilos habitantes de Montseny que se mostraron consternados ante las cámaras.

Haciendo caso a las indicaciones del GPS, sigo avanzando por el Passeig de la Font. A medida que subo, la carretera asfaltada se vuelve más estrecha y empinada hasta llegar a un callejón sin salida, donde me recibe el encantador hostal cuya fachada de cemento gris contrasta con los colores vivos de los geranios repartidos en varias macetas que adornan ventanas y esquinas. Aparco el coche. Si algo me gusta de los pueblos es que puedes aparcar donde quieras; siempre hay sitio. Todo a mi alrededor me recuerda que estoy en la montaña, con un verdor esplendoroso incluso en verano. La vegetación es variada; robles, pinos y encinas destacan entre el aire puro; mejor no miro hacia abajo que tengo vértigo, y hay una brisa agradable cuando en Barcelona el bochorno ya es insoportable. Me enciendo un cigarrillo, no vaya a ser que mis pulmones se acostumbren a lo bueno.

Por un momento, observando distraída a un par de jubilados sentados a las mesas de plástico de la terraza —«la juventud del pueblo», como diría mi padre—, me pregunto si debe haber alguna casita en alquiler por aquí. Fantaseo con la posibilidad de dejar el periódico, huir de la ciudad y ponerme a escribir a mansalva. Soy una escritora encerrada tras unos paneles sintéticos y despersonalizados que sueña con publicar una novela y recorrer el mundo con ella; es algo que siempre he querido y, además, podría vivir en cualquier sitio. Este pueblo sería ideal. Un remanso de paz. Aunque puede que, al igual que a Silvia Blanch, se me quede pequeño. ¿Enloqueció y se fugó, como piensan algunos?

Qué sé yo.

Cojo mi maleta, donde llevo lo más preciado: mi ordenador portátil y la carpeta con todo el material que atañe al caso Blanch. Ha llegado el momento de ser profesional y ponerme seria. Tiro la colilla, la aplasto contra el suelo y entro. Me cruzo con una joven pareja de turistas que hablan francés y, por cómo se miran, parece que estén viviendo una preciosa luna de miel.

Lo primero que aparece ante mí es la recepción, con las paredes revestidas de madera y fotografías enmarcadas del pueblo.

—Buenas tardes —saludo a la mujer que está tras el mostrador—. Tengo una reserva a nombre de Alejandra Duarte.

—La periodista —asiente sin dignarse a saludarme, levantando la vista del sudoku que está haciendo y escudriñándome con curiosidad por encima de sus gafas redondas de montura dorada.

Pues empezamos bien.

—La misma.

No sonríe. Parece que mi presencia la incomode. Mientras la señora va a hacer una fotocopia de mi DNI, le mando un wasap a Dídac:

> **Alex 20:10**
> ¿Te alojaste en el hostal Montserrat cuando cubriste el caso de la desaparición de Silvia Blanch?
> ¿Te miraban mal por ser periodista?

—Habitación 13, última planta.

Rápida como un rayo, le echo un vistazo a la placa que lleva colgada con un imperdible en la camiseta de algodón rosa. Se llama Montserrat, como el hostal. Debe ser la propietaria.

—Verá, Montserrat, no es por ser puñetera, pero el trece me da mal rollo.

—¿Le da qué?

—Que no me gusta. El trece no me gusta. Verá, es que soy muy supersticiosa.

—Pero no tengo ninguna otra habitación preparada y las otras están ocupadas —se excusa conteniendo la risa que le ha provocado mi queja.

—Puedo esperar a que prepare otra. No importa.

—Lo siento —dice encogiéndose de hombros.

—Yo lo siento más.

Me tiende la llave; la cojo con temor. La señora de cabello cano y mirada inquisidora, que debe rondar los sesenta años, sonríe esta vez para señalarme con el dedo el ascensor. Huele a lejía, han fregado hace poco.

Ya en el pasillo, busco mi habitación y, en el momento en que me peleo con la llave para abrir la puerta, recibo la respuesta de Dídac:

> **Dídac 20:20**
> Sí, nos odian. ¿Recuerdas mi nariz?

El recuerdo del día que llegó a la redacción con la nariz rota va acompañado de una fotografía de sus pies feos y peludos sobre la arena blanca de alguna playa del Caribe.

«Maldito.»

Observo la habitación cuadrada, con más fotografías de Montseny colgadas en sus paredes amarillas. Una cama de matrimonio vestida con una colcha granate me recibe fría, el colchón tiene pinta de ser duro; enfrente hay una ventana con vistas a la entrada y un escritorio arrinconado al lado de un sillón orejero verde. Aunque sencilla, es agradable; huele a madera vetusta y a hojas de té, con una ligera fragancia a lavanda seca.

Abro la maleta y saco la carpeta marrón. Miro el reloj, son las ocho de la tarde y, aunque he quedado con los padres de Silvia mañana a las diez, podría aprovechar para dar un paseo antes de cenar e interrogar a quienquiera que me encuentre.

JAN

—¿Ya ha llegado la periodista?

—Buenas tardes, Jan. Yo también me alegro de verte. Acaba de subir a su habitación.

—Se va a ir con las manos vacías.

—Su familia tiene ganas de colaborar. De que recuerden a la pobre Silvia después de un año sin saber qué pasó.

—¿Para qué? Es y seguirá siendo una herida abierta, Montse.

—Anda, calla, calla. ¿Ya tienes preparados los caballos para la excursión de mañana?

—Sí. ¿A qué hora tienes programada la primera?

—A las nueve.

—A las nueve estaré aquí.

—Jan, no vayas a hacer ninguna tontería, ¿eh?

—Odio a los periodistas.

—Al último le rompiste la nariz.

—Bah, se lo merecía.

—Un periodista avispado con curiosidad y empeño puede descubrir algo que se le pasara por alto a la Policía.

—Pero ya no hay nada que hacer, Montse. Esté donde esté, que la dejen descansar tranquila.

ALEX

Si una servidora quiere hacer preguntas en un pueblo, debe ir al bar del pueblo, normalmente en la plaza, pero cuando le pregunto a Montserrat cuál es el que más frecuentan los 320 habitantes de su censo actual según he visto en la web de su Ayuntamiento, contesta orgullosa que lo tengo a solo unos pasos, en la terraza del hostal con vistas privilegiadas a la montaña donde he dejado el coche aparcado. Y me señala al frente con la cabeza bien alta. Y es cierto. Ya en el exterior, veo que a los dos jubilados de antes se les ha sumado más público de la tercera edad. Las mesas están llenas de gente, hombres en su mayoría, bastones apoyados en los reposabrazos de las sillas de plástico, ojos fisgones que me escrutan sin disimulo. Dejan de lado su partida de cartas y me miran como si me hubiera salido un ojo en la frente.

—Buenas tardes.

Saludo así, campechana y dedicando una mirada a todos los presentes, como sé que se saluda en los pueblos. Pero nadie corresponde a mi amabilidad. Incómoda, miro a la izquierda y a la derecha decidiendo cuál de las dos mesas libres voy a elegir. Sigo siendo el entretenimiento de los aquí presentes; la distracción causará que el más avispado haga trampas. Finalmente me decanto por la mesa que hay al fondo a la izquierda, un poco separada del resto, a la que me acerco con pasos torpes e indecisos. Dejo la carpeta encima de la mesa y me centro en el móvil, con el que me entretengo echando un vistazo a una página que hicieron en Facebook una semana después de que Silvia desapareciera con la intención de conseguir colaboración ciudadana a través de las redes sociales. Los últimos seis meses ha tenido poca actividad pese a las más de cincuenta mil personas que la siguen. La mayoría de las publicaciones son montajes fotográficos con imágenes de la desaparecida desde que era una niña. Hay poemas, reflexiones, elucubraciones y centenares de mensajes que dicen: «Vuelve», «Te esperamos, Silvia». Una vidente, que tiene en su perfil la fotografía de una vela blanca encendida, ofreció sus servicios a principios de año. Prometía saber dónde está Silvia y daba su número de teléfono. Aunque no creo que lo vaya a utilizar, lo anoto; nunca se sabe. Debajo, ni un solo comentario positivo de esperanza o agradecimiento al post, sino todo lo contrario. Insultos y amenazas. «Sinvergüenza» es lo más bonito que le llaman a la mujer. La vidente no volvió a promocionarse.

Sigo sintiéndome incómoda.

Los clientes, cobijados bajo tres árboles frondosos estratégicamente colocados, siguen mirándome. No les veo las caras porque me he sentado de espaldas a ellos, pero lo sé, lo siento en el cogote. Soy el vestido nuevo del escaparate. La golosina por la que los niños se pelean. El cromo único que admiran con avaricia. «La forastera en un pueblo donde todos se conocen», me repito.

Un hombre se acerca a mí. Pienso que debe ser el camarero. Al fin, porque me muero de sed.

—¿Me puedes traer una Coca-Cola Light, por favor?

—No soy el camarero —contesta cortante.

—Ah. Lo siento. Pues esperaré.

—Eres la periodista. Vienes aquí por el asunto de Silvia…

Asiento con temple. Me mira desafiante haciéndome saber que mi presencia aquí, entre tanto jubilado apacible, molesta.

—*Non grata,* por lo que veo —se me escapa, recordando la hostilidad de la mujer del hostal.

Esboza una sonrisa poco amable mirando hacia otro lado. Y se presenta. Por fin un poquito de educación, menos mal.

—Soy Jan.

—Alejandra, aunque todos me llaman Alex.

Le tiendo la mano, pero la rechaza. La aparto de inmediato fingiendo que he recibido un mensaje en el móvil para ocultar la vergüenza que me provoca el desplante de este desconocido. De reojo, calculo que Jan debe tener entre treinta y treinta y cinco años, aunque la barba incipiente lo hace parecer mayor. Es alto y fuerte; no está nada mal, la verdad. Tiene unos bonitos ojos de color miel que me miran distantes, como si no hubiera visto una mujer en su vida. Es guapo de una forma poco convencional. Tiene la tez morena, un hoyuelo en la barbilla y el cuerpo musculoso. Deduzco que trabaja en el campo, que es de aquí y, por lo tanto, que conocía a Silvia; de hecho, sabe que estoy aquí por ella, para recordarle al mundo que, después de un año, se sigue sin saber nada. Me da apuro proponerle que se siente un rato conmigo con el fin de sonsacarle información. Tras unos pocos minutos tensos en los que nos hemos quedado en silencio, el tal Jan entra en el hostal y, cuando creo que no lo voy a ver más, me sorprende regresando con un par de Coca-Colas, una Light para mí. Sin decir nada, se sienta a mi lado.

—Gracias por la Coca-Cola.

—No me gustan los periodistas —aclara con voz queda.

—La familia de Silvia ha accedido a hablar conmigo para publicar un artículo en el aniversario de su desaparición —le explico.

—Ya —murmura pensativo con el ceño fruncido, asintiendo con la cabeza.

Los jubilados hablan alto, supongo que a cierta edad el oído se hace de rogar; juegan a las cartas, he dejado de ser el centro de su universo. Me concentro en Jan. No voy a quedarme mucho tiempo en este pueblo, es probable que no se repita una ocasión así, la de encontrar a alguien de una edad aproximada a la de Silvia, por lo que decido ir directa al grano. «Ahora o nunca», me digo inspirando hondo y armándome de valor para pasar a la acción. Tal y como dice siempre Pol, un periodista trabaja las veinticuatro horas del día. Sí, es agotador.

Capto la atención del chico mostrándole mi iPhone con la grabadora a punto en la pantalla.

—¿Conocías a Silvia? —Tiento a la suerte. Sacude la cabeza a modo de afirmación—. No te voy a robar mucho rato, Jan —añado para no espantarlo. Sé cuánto incomoda que te graben—. ¿Podemos hablar sobre ella? ¿Me dejas grabar?

Me mira con desconfianza. En el momento en que pienso que va a decir que no, vuelve a sorprenderme asintiendo despacio con la cabeza. Bien. Le doy al botón rojo, me aseguro de que esté grabando, y empiezo a hablar un poco intimidada ante su imponente presencia:

—Para el periódico *Barcelona ahora*: ¿Puedes decirme tu nombre completo, por favor?

—¿Va a salir?

—No, si no quieres.

—Bueno… —duda—. Jan Blanch.

—¿Blanch? —me asombro—. ¿Eres familia de Silvia Blanch?

—Soy su primo.

La periodista que hay en mí piensa: «Bravo. Qué suerte has tenido, qué maravillosa casualidad». La otra, más humana, más insegura, negativa e imperfecta hasta decir basta, quiere que la engulla la tierra y se la lleve, a poder ser, a una de las playas del Caribe donde se encuentra Dídac, aunque lejos de él, que somos compañeros, pero no amigos; a veces es un pelín irritante.

—Lo siento mucho —digo sin saber muy bien cómo continuar con este interrogatorio improvisado.

—A los periodistas se os da muy bien mentir.

Trago saliva. A él parece divertirle ser tan borde conmigo. Una pequeña sonrisa se dibuja en su boca y sus ojos, que permanecen fijos sobre los míos, intensos y retadores, me dejan por un momento sin aliento.

—Eh… ¿Cuándo fue la última vez que viste a tu prima?

—La tarde del miércoles 26 de julio de 2017 a las seis —contesta mirando al cielo. Tengo intención de pasar a la siguiente pregunta, pero Jan, más para sí mismo que para mí, se me adelanta y sigue hablando—: Bajé a Barcelona a hacer unas gestiones. Era su última semana trabajando en el bufete; al lunes siguiente empezaba en uno mejor. La vi bien. Normal, como siempre.

Le dedico una sonrisa. Me ha gustado su respuesta, empieza a colaborar. Vamos bien, vamos bien.

—Por lo tanto, no crees en la teoría de que huyera por voluntad propia —deduzco.

—¿Qué idiota se cree ese cuento? —pregunta con voz ronca, ladeando la cabeza y encendiéndose un cigarro.

—Inspeccionaron la zona durante un mes y medio, la búsqueda fue exhaustiva y prolongada, más que en otros casos de desaparición, y no encontraron nada.

—Ya. Y luego el mundo se olvidó de ella —añade con rencor.

—Yo no. Estoy aquí. —Sonrío, por si sirve de algo. Necesito ablandarlo, que se derrumbe si es preciso. Siendo el primo de Silvia, su desaparición debe preocuparlo pese a su aparente frialdad conmigo. Que me cuente algo que no sepa nadie más—. Recuerdas muy bien las fechas —lo reto.

—Me interrogaron. Fui el principal sospechoso, ¿no aparece en esa carpeta? —la señala despectivo.

Me quedo en *shock*. Pongo mi cabeza a funcionar a mil por hora y caigo en la cuenta de quién es el hombre que tengo delante. El primo, ¡claro! Lo había pasado por alto. En la carpeta que ha señalado Jan, la que me ha dado Pol esta tarde, no aparece nada sobre las sospechas infundadas respecto a Jan Blanch que pudieran haberme refrescado la memoria.

—¿Puedo saber por qué?

—¿No te parezco amenazante?

Ahora el que me reta es él, como si estuviéramos en un ring de boxeo en lugar de conversando en una terraza tranquila, en el momento en que el atardecer está en su punto álgido y el sol parece fuego reflejado en las montañas.

—No —niego rápidamente, para que no perciba que miento, contemplando el tatuaje de un lobo desdibujado que lleva en el brazo—. Hay quienes visten con traje y son unos psicópatas —alego.

—No tenía coartada para ese día. Trabajo con caballos —explica sorprendiéndome por tercera vez en pocos minutos.

«Menos mal que no le gustan los periodistas», pienso, y algo me dice que tiene la necesidad de desahogarse.

—Un poco más arriba, subiendo por la carretera, está mi granja. Los animales no hablan, no pueden testificar que me pasé el día en la cuadra y que la última vez que vi a mi prima fue la tarde anterior a su desaparición.

—Tuvo que ofenderte.

—Me dolió —aclara negando con la cabeza—. Perdí a mis padres cuando era un chaval, así que me crie con mis tíos, los padres de Silvia. Perdimos el contacto hace tiempo.

Baja la mirada y le da otra calada al cigarro exhalando el humo poco a poco.

—Una vecina testificó que la vio con su novio en el punto exacto donde encontraron el coche, pero resultó no ser su novio. ¿Crees que entonces ya podía estar en peligro?

—Lo siento, no puedo seguir.

Aplasta el cigarro en el cenicero, me mira de reojo y se larga cabizbajo. Me acerco el móvil al oído y escucho una y otra vez sus últimas tres palabras: «No puedo seguir». No sé si es demasiado pronto para ver fantasmas donde no los hay o si es cierto que Jan Blanch, el primo de Silvia Blanch, esconde algún secreto tras esa fachada de tipo duro que no concuerda con su voz temblorosa al final de la conversación.

—¿Cuántas veces te he dicho que solo me llames por la mañana, Jan?

—Es urgente.

—¿Qué quieres?

—He visto a la periodista.

—Dime que no has hablado con ella.

—Sí, lo he hecho. Le he dado bola para comprobar qué quiere. Tiene preguntas. Demasiadas preguntas, diría yo. No es de las que se rinden, siente curiosidad por saber qué le pasó a Silvia.

—Joder. Como digas algo, cierro el grifo y te dejo sin nada. No quiero que suene como una amenaza, pero yo de ti no me arriesgaría.

ALEX

La codorniz de la cena estaba buenísima y así se lo he trans-
mitido a Montserrat, pero ni por esas me ha cambiado de
habitación, así que aquí estoy, en la número 13, sentada en
el sillón orejero, que he colocado junto a la ventana, oyendo
el chirrido de las cigarras y mirando con atención las fotografías de Silvia Blanch que encuentro en el buscador de
Google. En ninguna sonríe. No sé cómo eran sus dientes.
¿Tenía algún complejo? ¿Dientes torcidos o amarillentos?
¿Aparatos dentales? La observo con fascinación, como quien
encuentra unas fotografías antiguas que alguien se ha olvidado en un cajón. Con esa fascinación que a algunos nos
despiertan quienes estuvieron aquí y ya no. Me entretengo
durante minutos buscando en su rostro una existencia diferente a la mía, prestando suma atención en cada imagen.
Silvia Blanch con cinco años y una Barbie. Con su novio Daniel, un tipo guapo y atlético que sí sonríe en las fotos, como
si estuviera orgulloso de su chica. Con su padre, de aspecto
tosco y estricto, posando en una cancha de tenis. Con un tío
materno, joven y atractivo, con el que parece estar muy unida por cómo posan abrazados. Solo una con su hermana
mayor, parecida a ella, pero que no despierta esa atracción
especial, casi hipnótica, que sí tenía Silvia. En ninguna de las
fotografías que veo en Internet, ni siquiera en la página de

Facebook dedicada a ella, aparece con su madre, a la que solo se la puede ver en algún vídeo lacrimógeno de YouTube balbuceando siempre lo mismo:

«Si alguien la tiene, por favor, que nos la devuelva. Es mi hija…, mi niña…, mi pequeña. Por favor, no le hagan nada a mi pequeña».

Sus declaraciones a la prensa y en televisión también fueron idénticas: enseñaba una foto de su hija pidiendo a quien la hubiera visto que se pusiera en contacto inmediatamente con la Policía.

El último vídeo data de octubre de 2017, tres meses después de que se le perdiera la pista, cuando archivaron el caso. Tengo a Silvia Blanch tan metida en la cabeza que, al levantar la vista del ordenador para mirar al exterior, vislumbro su figura en la penumbra de la calle. Pero parpadeo dos veces y me doy cuenta de que solo se trata del tronco de un árbol y que ahí no hay nadie.

Son las doce y media. Debería dormir.

17 DE JULIO DE 2017
DIEZ DÍAS ANTES DE DESAPARECER
—

SILVIA

Nos pillarán, lo sé. Lo raro es que no lo hayan hecho antes. Es un pueblo pequeño, la gente habla y, aunque nos escondamos en la granja o nos veamos en la ciudad, tarde o temprano se enterarán de lo nuestro. Es demasiado evidente. Está prohibido. Y es por eso que resulta tan adictivo.

—¿Y qué pasa si alguien lo descubre? —le he dicho, una vez más, mostrándome despreocupada para provocarlo. Me encanta provocarlo. Niega con la cabeza, piensa con rapidez; posee la mente más lúcida que conozco—. Llevamos diez años… —he murmurado—. ¿No lo has pensado alguna vez?

—Sabes que no podemos hacerlo —ha zanjado con la mirada ausente.

—Tengo que irme a casa —he dicho con los ojos llorosos, mordiéndome las ganas de confesarle el motivo por el que ha llegado el momento de marcharnos. De estar juntos. De ser sinceros no solo con nosotros mismos, sino con el mundo. Enfrentarnos al mundo… ¿Es tan difícil como suena?

Siempre me ha reprochado mis arrebatos de furia, mi insensatez; esos impulsos, en ocasiones infantiles, que se apoderan de mi cuerpo y de mi mente, que no es capaz de hacer otra cosa que pensar en él.

«Eres una caprichosa», replica siempre.

—Escríbeme.

—Daniel estará en casa, no puedo —he puesto como excusa sin ser capaz de mirarlo a los ojos.

—No nos va a descubrir. Nadie sabe nada. Confía en mí.

«Nadie sabe nada, pero lo sabrán. Tarde o temprano se enterarán», me he callado.

Lo que se desea con locura se asemeja a veces a lo que uno más teme. En ocasiones, cuando la cabeza se impone al corazón, pienso en dejarlo. Todo sería más fácil. Disimular, seguir mintiendo, proponerle a Daniel que nos vayamos a vivir a Barcelona y abandonar este pueblo. O abandonar este pueblo sola, sin Daniel. Y también sin él, aunque me rompa por dentro. Quizá, si dejo de verlo con tanta frecuencia, lo olvide. Quizá el nuevo trabajo y el aumento de sueldo serían una buena excusa. La vida repleta de «quizás» no es vida. Tan llena de contradicciones siempre, luego lo veo y sé que, pese al interés que tiene en seguir estando conmigo en secreto, no me va a dejar ir así como así.

«Te perseguiría hasta el fin del mundo si hiciese falta, Silvia», dijo una vez. Sus ojos no mentían. Recuerdo esa mirada a todas horas.

A veces, así es el amor de obsesivo; lo sé bien. Conozco los síntomas.

Cada noche, cuando llego a casa, miro a Daniel con temor y creo que lo sabe todo. Que tras su: «Hola, cariño, ¿qué tal el día?», soltará la bomba y me estallará en la cara.

La infidelidad huele tanto como pesa el miedo.

21 DE JULIO DE 2018

—

ALEX

Irme a dormir con el sonido de las cigarras y despertarme con el canto de los pájaros es algo a lo que podría acostumbrarme. Después de darme una ducha rápida, me asomo a la ventana enfundada en mi albornoz y enciendo un cigarro. Son las nueve de la mañana y acaba de aparcar un todoterreno oscuro que me llama la atención no solo por lo sucio que está, sino porque arrastra un remolque de caballos. Jan, vestido de jinete, es quien sale por la puerta. Desde la seguridad que me otorga la ventana, no dejo de mirarlo. Con las pintas que tengo a estas horas, espero que no me vea. Pero es tarde. Como por inercia, levanta la vista. Me parece que hace un amago de saludarme con la mano, pero se decanta por ignorarme. Trabaja con caballos, así que es probable que tenga contratada alguna excursión con huéspedes del hostal.

Cuando bajo a desayunar antes de emprender el camino a casa de los Blanch para la entrevista, Montserrat ya está tras el mostrador de recepción; me da la sensación de que se pasa la vida entera ahí. A su lado, Jan habla con dos parejas de mediana edad. Su voz, ronca como la tarde anterior, es más apacible que cuando habló conmigo. Saludo con un gesto, Jan me mira con el rabillo del ojo cuando le pregunto a Montserrat dónde se desayuna y, gracias a la señal de su dedo, sé que debo seguir un pasillo estrecho con ventanales

40

que dan a la terraza. Mientras lo recorro, tengo la sensación de que alguien me observa. Me doy la vuelta para comprobar mis sospechas y me encuentro con la mirada inquisidora de Jan, que ignora a la pareja de excursionistas para observar mis pasos.

El día es soleado, ni una sola nube cubre el cielo y empieza a hacer calor. Carpeta con toda la documentación del caso y móvil en mano, camino hasta la casa de los Blanch, no muy lejos del hostal, en la calle Font del Gatell. Pese a la cercanía, el paseo se me hace largo y pesado. La calle me recibe con una hilera de casas bajas, algunas tienen huerto, y un descampado poco cuidado con mala hierba al otro lado de la acera. Los Blanch viven en la casa del final, donde la calle se cierra en un semicírculo que forma un mirador protegido por una barandilla de madera. Hay un banco solitario donde sentarse a contemplar la panorámica. Montañas. Aquí no hay más que montañas y espesos bosques alrededor; es el encanto de esta zona, llena de excursionistas y turistas en verano y los fines de semana. Cuando estoy llegando a la casa, me pongo a elucubrar posibilidades. En realidad, no he dejado de hacerlo desde que entré en el despacho de Pol. Silvia Blanch podría estar enterrada bajo una de las numerosas encinas que hay en las profundidades del bosque, o sumergida en el pantano de Santa Fe de Montseny, algo que no se me quita de la cabeza. Su cuerpo descompuesto y corroído por los peces en las profundidades del agua sucia. Se me eriza el vello solo con imaginarlo.

¿De veras buscaron bien?

Sin cuerpo no hay delito. Quienquiera que le hiciera algo sabía bien cómo proceder para no dejar rastro. Eso, o tuvo buena suerte.

Me detengo frente a la que fue su casa. Tiene dos plantas, la fachada pintada de color crema y un balcón con geranios mustios. Los setos, verdes y bien cuidados, le otorgan la intimidad que necesitan unos padres que han perdido a su hija sin saber cómo. La prensa estuvo aquí durante días, incluido Dídac, cuya manera de trabajar resulta a veces un pelín agresiva. Con el corazón latiendo desbocado, abro la cancela y toco el timbre. Ding-dong. Me sudan las manos. Abre Cati, la madre de Silvia. Bajita y muy delgada, una sombra de la mujer que veíamos en televisión hace un año. La pena la tiene consumida; me parece una anciana de ochenta años, aunque sé que tiene sesenta y tres. Se ha dejado vencer por el dolor, marcado en un rostro huesudo surcado de arrugas y manchas. Tras ella, cual guardaespaldas, aparece un hombre alto y atlético, es un tipo grande, muy atractivo, de mirada oscura penetrante, cuyas arrugas en la frente denotan preocupación. Vengo preparada, lo identifico rápido gracias a las fotografías que vi anoche. Es el hermano pequeño de la madre de Silvia, Artur, se llevan bastantes años, y siempre se ha mostrado esquivo con las cámaras. No sé aún cómo suena su voz.

—Buenos días —saludo—. Soy Alejandra Duarte, la periodista de *Barcelona ahora*.

—Sí, te estábamos esperando. Pasa, por favor.

La mujer habla en un tono de voz tan bajito, casi susurrante, que apenas alcanzo a entenderla con claridad. La casa está a oscuras; en la planta baja entra poca luz. Me llevan al salón, inundado del recuerdo de Silvia a través de multitud de fotografías, como si se tratara de una obsesión. Me impresiona verla en las paredes, en cada mueble y sobre la repisa de la chimenea; no hay espacio para nada más que su recuerdo, lo único que les queda de ella. Las fotografías son nuestra inmortalidad, la prueba tangible de que estuvimos aquí. Siento pena por la pobre madre.

De la puerta que intuyo que da a la cocina aparece un hombre robusto con una taza de café. Es el padre, Josep. Silvia se parecía a él; tienen el mismo color de ojos claros. También está cambiado. Exhausto por el paso del tiempo, luce una barba cana descuidada y abundante.

—Buenos días —saluda—. Siéntate, por favor. Cristina está a punto de llegar.

—Gracias, señor Blanch. —Y vuelvo a presentarme.

Le ofrezco la mano, la aprieta con fuerza. Casi hubiera preferido que la ignorara, como hizo su sobrino ayer.

—¿Quieres café? —pregunta incómodo, como si no estuviera acostumbrado a recibir visitas o a hablar con gente.

—No, gracias. Acabo de tomar uno en el hostal —contesto mirando con disimulo a Artur, que se pasea por el salón como si se sintiera desubicado.

—¿Cómo quieres enfocar la entrevista? —quiere saber Josep Blanch, mientras su mujer se ha sentado a la mesa con la mirada fija en la pared.

—Mi jefe me comentó que la idea es escribir un artículo recordando a Silvia de una manera especial. Bonita.

—Bonita… —masculla Cati negando con la cabeza.

—Perdona a mi mujer. Estamos resentidos con la prensa y con la investigación policial, que, visto el resultado, fue una chapuza.

—¿A qué se refiere?

—Si no te importa, esperaremos a Cristina —zanja Josep señalando el sofá para que me siente.

—Perdonadme —interviene Artur mirando a su hermana. Su voz es arrebatadora pese al titubeo, profunda como la de un actor de doblaje—. Yo…, será mejor que me vaya. No pinto mucho aquí —añade mirándome con el ceño fruncido.

Otro más que no se siente a gusto con periodistas, me temo.

Josep Blanch y su mujer asienten, mientras yo me quedo mirándolo hasta que desaparece por la puerta. Me hubiera gustado que se quedase, hacerle preguntas, cómo era la relación con su sobrina, pero me guardo las ganas, a la espera de que venga Cristina, la hermana de Silvia.

Las agujas del reloj nunca antes se han movido con tanta lentitud. Cristina llega a las diez y media, pero para mí ha pasado toda una vida desde que me han obligado a sentarme en este sofá incómodo que se hunde con mi peso como arenas movedizas.

—Perdón por el retraso, me he quedado dormida. Trabajé anoche —se excusa.

No creía que Cristina fuera tan alta. Me saca dos cabezas, aunque nunca he podido presumir de piernas largas. A bote pronto, podría decirse que es un calco de Silvia en una versión más adulta, menos aniñada y angelical, pero, cuando te acercas un poco más, ves las diferencias que hay entre las hermanas. Cristina no tiene una apariencia delicada, sino fuerte; los ojos oscuros, la nariz más grande y los labios prominentes en lugar de finos como los de Silvia, que era diez años menor, aunque nadie diría que la mujer que tengo delante está cerca de los cuarenta. Parece más joven. No obstante, tienen algo en común: Cristina tampoco sonríe. En realidad, ningún integrante de esta familia ha sonreído ni una sola vez en el rato que llevo con ellos, aunque ¿qué esperaba? Son seres rotos por dentro.

—Marc no ha podido venir, tiene trabajo. Marc es mi marido —aclara dirigiéndose a mí.

—Está bien, no pasa nada. Voy a colocar el móvil con la grabadora en marcha. —Lo dejo en el centro de la mesa.

Todos se miran, encorvados, sometidos a una presión que me desconcierta.

—Quiero aclararte algo —suelta Josep con desprecio—.

No quiero preguntas incómodas ni elucubraciones turbias respecto a mi hija. No te conozco, Alejandra, pero le pedí a tu jefe que viniera alguien que no fuera morboso, ¿entendido? Los últimos periodistas que estuvieron aquí se fueron con el rabo entre las piernas, no sé si me explico.

—No se preocupe, señor Blanch. Soy muy respetuosa con la información y con lo que escribo en el periódico. Vamos a hablar de lo que ustedes quieran. Deseo que se sientan a gusto. Solo quiero conocer mejor a Silvia. —Trato de mostrarme segura y comprensiva con su dolor, pero por dentro estoy nerviosa. Intuyo que Pol me mintió al decirme que iban a colaborar sin problemas. Sin más preámbulos, vamos allá—: Se va a cumplir un año de la desaparición de Silvia. ¿Cómo lo han vivido?

—¿Qué mierda de pregunta es esa? —me reprocha Cristina bruscamente.

—Apenas salimos de casa —me contesta Cati, que sigue con la mirada perdida en la pared, ignorando el comentario de su hija.

—Mi mujer vive a base de tranquilizantes, sin ellos no puede dormir —añade Josep—. Apenas duerme, tampoco come, no hay manera de hacerla comer.

—Soy un saco de huesos —se lamenta la madre de Silvia. Parece ida, me estremece verla así—. No me reconozco. No salgo de casa, así que no hablo con nadie y los pocos que venían a animarme se han cansado de verme. Claro, normal. ¿Quién querría verme así? Soy una muerta en vida. Me paso el día aquí, a oscuras, pensando, pensando, pensando... —murmura llevándose el dedo a la sien—. Pensando dónde estará mi pequeña. Qué le han hecho. Quién ha sido.

—Ha sido un año duro —asiente Josep mirando con lástima a su mujer—. Abandoné mi fábrica, ahora está en ruinas. No tengo fuerzas para trabajar. Lo único que me entretiene un poco es ir al huerto, nada más.

—¿Cuál es el último recuerdo que tienen de Silvia? —prosigo con miedo de que Cristina vuelva a increparme.

—Tres días antes de desaparecer, Silvia vino a cenar a casa con su novio. También iban a venir la misma noche en la que no volvimos a saber nada de ella. Solo hablaba del nuevo bufete de abogados en el que la habían contratado; tenía ganas de empezar a trabajar —explica el padre.

—Solo comió una ensalada —recuerda la madre—. No quería engordar. —Solloza—. Decía que tenía que caber en los trajes nuevos de la talla treinta y seis que se había comprado. Era muy maniática con la comida, el peso…, cosas de las jóvenes de hoy en día.

—Por lo tanto, estaba entusiasmada con el nuevo trabajo. No pudo irse por voluntad propia, como algunos dicen —confirmo.

—Claro que no. Ella nunca nos haría eso. —Cristina, con los brazos cruzados sobre la mesa, me dedica una mirada de infinita tristeza. Soy hija única, así que no puedo comprender qué se siente al perder a una hermana; solo me lo imagino, pero imaginar no cuenta—. Fue alguien de fuera. Un forastero, estoy segura. Podría haberme pillado a mí o a alguna de nuestras amigas, pero le tocó a Silvia. Silvia era muy buena persona. Tenía un gran corazón, era la mejor. Siempre he pensado que se detuvo para ayudar a alguien y se la llevaron. Un autoestopista, un mendigo…, qué sé yo. Tuvo mala suerte. A veces pasa.

—Necesitamos descansar —interviene Josep—. Aunque, para eso, antes tenemos que encontrarla.

—He asumido que está muerta —dice Cati con la voz quebrada. Sigue como ausente; quizá se acaba de tomar alguna pastilla—. Hasta hace unos meses hablábamos de ella en presente, pero ahora, como ves, lo hacemos en pasado. Solo quiero enterrar a mi hija y tener un lugar al que llevarle flores.

La madre de Silvia rompe a llorar mientras al padre le noto que hace un gran esfuerzo para no sucumbir a las lágrimas. Ha llegado el momento de arriesgarme antes de que me ponga a llorar con ella.

—Ayer estuve hablando con Jan…

—¿Qué quiere ese desgraciado?

La mirada de Josep Blanch se transforma. Parece que el diablo se ha adueñado de su cuerpo. Ha dejado de temblar, aprieta los puños, le invade la rabia con solo escuchar el nombre de su sobrino.

—Dijo que sospecharon de él y que eso le dolió —explico aparentando serenidad.

—La Policía sospechó de él al principio, pero Jan es incapaz de matar a una mosca —lo defiende Cati volviendo en sí. Noto cierto temor en la mirada que ahora le dedica a su marido.

—¿Cómo lo sabes? —pregunta él—. Con los caballos, con los caballos… No digo que fuera él, pero con Jan nunca se sabe.

—¿Es conflictivo? —quiero saber.

—No, bueno… —titubea Cati—. A veces se mete en problemas y tiene mal carácter. Es normal, sus padres murieron en un accidente de coche cuando el pobre tenía solo dieciséis años y fue un joven conflictivo. Cría fama y échate a dormir, ¿no? Eso dicen… El pobre ha tenido una vida muy difícil.

—Es el hijo de mi difunto hermano, así que vino a vivir a casa. Lo tratamos como a un hijo, pero se nos descarrió. Salía por las noches, solo Dios sabe a qué. A nada bueno, claro. Hace cinco años una mujer del pueblo lo denunció por acoso y violación —me cuenta Josep—. Jan no llegó a estar entre rejas porque ella retiró la denuncia. Por lo visto, él le pagó mucho dinero, algo que nos hizo sospechar que estaba metido en negocios turbios y que sí le hizo algo. Esa mancha la llevará consigo de por vida, aunque el pueblo le haya dado una segunda oportunidad.

—Sus rutas por el bosque a caballo tienen éxito entre los turistas. Conoce el terreno como la palma de su mano. Y eso es lo que hace que mi padre desconfíe de él —aclara Cristina enjugándose una lágrima.

—Quizá podría hablar con la mujer…

—Ya no vive aquí —se apresura a responder Josep—. Se fue a Barcelona y no ha vuelto. De todas maneras, olvídalo. No tiene nada que ver con Silvia.

—Claro —acepto—. Pero antes permítanme opinar que, si Jan Blanch sigue en este pueblo, es porque quizá no tenga nada de lo que avergonzarse.

—No tiene ningún otro lugar al que ir —me contradice él dando un golpe en la mesa—. Y ahora, pasemos a otro tema, por favor.

—¿Saben algo de Daniel? —pregunto tratando rápidamente de que se olviden de Jan.

—Daniel era lo mejor que le había pasado a Silvia. Dios mío, se adoraban —recuerda Cristina evitando mirar a su padre, que no parece estar de acuerdo por cómo niega con la cabeza—. Nos vemos a veces, sigue en el pueblo, viviendo en la misma casa que compartía con mi hermana. Le digo que tiene que rehacer su vida, que es joven, pero no puede. Nadie puede. Vivimos con Silvia metida en la cabeza todo el día.

—La testigo creyó que Silvia estaba con él la tarde en la que desapareció —les recuerdo cogiendo una de las hojas de la carpeta en la que hay información sobre Berta Bruguera.

—Es obvio que se equivocó.

—Por lo tanto, ya debía estar con…

—Con su asesino —me ayuda la hermana con contundencia—. Yo también lo creo. Y la vecina murió con la culpa de no haber bajado a ayudarla. Qué sabía ella, la pobre… Quien estaba allí con mi hermana era un experto, un asesino en serie, quizá.

—Cristina, por favor… —suspira Cati temblando.

—No había huellas. Solo las de Silvia, que indican que fue ella quien detuvo el coche por voluntad propia; no hay rastro de que llevara a alguien de copiloto —reflexiona Cristina—. Su bolso desapareció, a lo mejor el móvil era el robo, Silvia solía llevar bastante dinero encima, pero ¿tanto como para hacerla desaparecer? ¿Por qué dejaron el coche allí? También podrían habérselo llevado. ¿Quién estaba con ella? ¿A quién vio Berta? —insiste con desesperación—. Ojalá reactiven la búsqueda del hombre. Pon eso en el periódico. Hace un año fue mi hermana, pero hoy, mañana, o la semana que viene, puedo ser yo. Le puede tocar a cualquiera.

Las angustiantes palabras de Cristina Blanch me martillean el cerebro de vuelta al hostal a la hora de comer. Porque tiene razón, nadie está exento de que le ocurra algo malo incluso en un pueblo como este, sosegado, pacífico, envuelto en un halo de paz, donde la vida va más lenta en comparación con las grandes ciudades.

La conversación ha terminado sin conflictos y, antes de marcharme, Cati me ha dado un abrazo que me ha emocionado.

—Tienes la edad de mi hija —me ha susurrado al oído—. Hasta te pareces un poco a ella —ha añadido provocándome un nudo en la garganta que ha tardado en irse.

La última media hora hemos estado recordando a Silvia desde su más tierna infancia.

—Nació rubia, muy rubia… —ha contado Cati con añoranza—. Tenía los ojos muy azules, pero luego le cambiaron a verde. Un verde precioso, tono esmeralda, el color de la esperanza, menos común que el azul, ¿no crees? Era una niña tan bonita y alegre… Siempre reía. Siempre.

«¿Qué le pudo pasar para que perdiera esa sonrisa?», me hubiese gustado preguntarle, aunque, obviamente, no me he atrevido. Han asegurado que Silvia era una mujer feliz y que, tal y como se esmeraba en decir la prensa para causar más pena a los telespectadores, nunca tuvo problemas con nadie. En el colegio sacaba las mejores notas y luego, cuando se fue a estudiar a Barcelona, destacó por encima del resto de los alumnos de Derecho. No solo era inteligente y lo captaba todo con facilidad, también se esforzaba hasta extremos insospechados para seguir siendo la mejor. Al terminar la carrera realizó las prácticas en un bufete de abogados que, un año más tarde, la contrató. Todos la querían y la admiraban; pese a su juventud, no perdió un solo caso. Era muy profesional. Faltaban pocos días para que se incorporara a un bufete más grande y de más prestigio en la ciudad, y sus compañeros se alegraron por ella, incluso le habían preparado una fiesta de despedida.

Era avispada, constante, luchadora y estudiosa. No le gustaba salir de fiesta hasta las tantas; prefería madrugar y hacer deporte. No fumaba ni bebía. Sin embargo, cuantos más detalles me han dado, menos me ha cuadrado todo. Ningún ser humano puede ser tan perfecto y, de serlo, ¿a nadie le corroía la envidia?

Hemos estado viendo fotografías, las que no aparecen en Internet, y sí, es cierto, Silvia aparece riendo en todas hasta su décimo aniversario. A partir de ahí, empezó a posar seria.

—Yo siempre le decía que sonriera —ha recordado Cati con los ojos anegados en lágrimas, deteniéndose en una fotografía donde aparecía su hija con unos once años subida a un caballito de feria, protegida por los brazos de su sonriente y joven tío Artur.

Cualquiera podría pensar que son cosas de la preadolescencia y que ya a los quince o dieciséis, en lugar de serios, posamos con el entrecejo fruncido y un gesto enfadado a modo de rebeldía, pero el rostro de Silvia reflejaba algo más. Como si estuviera incómoda en su propia piel. Como si las personas que aparecen junto a ella no fueran de su total confianza y se sintiera amenazada. No fue solo una etapa. Dejó de mostrar su sonrisa luminosa en las fotografías a los diez años, y para siempre.

TIEMPO ATRÁS
—
SILVIA

«¡Sonríe, Silvia!»

Recuerdo perfectamente el día que dejé de sonreír en las fotos. Fue el día que soplé las diez velas de mi tarta. Él dijo que esa sonrisa endulzaba mi carita de niña. «Niña.» Así me llamaba siempre y su comentario se me quedaría grabado a fuego pese a mi corta edad.

Mi pensamiento infantil creyó que para aparentar más años, para merecer su amor y convertirme en su novia, debía posar seria como las modelos. Ensayé innumerables veces delante del espejo; el truco era parecer apática, aunque en aquel tiempo ni siquiera sabía qué significaba esa palabra. Desde entonces, me acostumbré a no curvar los labios cuando tenía un objetivo delante, y hoy me es imposible aparecer sonriente en las fotos. Daba igual la persona que tuviera al lado, aunque fuese él, con quien siempre me sentía ilusionada y feliz. Parecía imprescindible inmortalizar cualquier vivencia, como una excursión por la montaña, un día en la playa, barbacoas, ferias, un partido de tenis, las Navidades…, como si mis padres, siempre locos por capturar cada momento, temieran el olvido y el paso del tiempo.

—¡Sonríe, Silvia! —gritaba mamá despeinándome.

La odiaba cuando hacía eso. Los odiaba a todos. Deseaba verlos muertos. Menos a él, que siempre estaba metido en casa como uno más.

Qué idiotez querer aparentar ser una familia idílica, perfecta, y mostrarlo en fotografías que no interesan a nadie. Que los conocidos no hablen mal de nosotros. Que no sepan nada. Es muy importante que nadie sepa nada.

No. No volvería a posar sonriente en las fotos. Ninguna cámara me capturaría riendo. Solo tenía diez años y una cría de diez años no se enamora como me enamoré yo de quien estaba prohibido. Obviamente, él me trataba como lo que era: una niña. Me compraba peluches y Barbies; le arranqué la cabeza a una de ellas y al peluche lo desmenucé para, acto seguido, arrojarlo al fuego de la chimenea. Nadie se dio cuenta. Lloré toda la noche. No quería juguetes. No quería que me subiera a caballito o que me trajera chucherías. No quería que se dejara los pulmones inflando globos para mis fiestas de cumpleaños ni que me contara un cuento antes de ir a dormir.

Yo solo quería que me mirara de una manera distinta, no como a una simple niña.

Todo era cuestión de tiempo, aunque, por aquel entonces, el tiempo iba muy despacio… Me desesperaba; no obstante, ocho años más tarde, el día de mi decimoctavo cumpleaños, todo dio un vuelco, incluido su corazón. Su mirada hacia mí cambió con la misma rapidez con la que se había transformado mi cuerpo de «niña».

21 DE JULIO DE 2018

—

JAN

—¿Qué le has puesto en la nota, Jan?

—¿Quieres que se vaya o no?

—No la cagues.

—Confía en mí.

—No confío ni en mi puta sombra.

—Tengo que dejarte, estoy en una excursión.

—Iré a verte en cuanto pueda, ¿de acuerdo?

—Por ahora, mejor que no.

ALEX

Ya sabía yo que una habitación con el número 13 incrustado en la puerta no puede traer nada bueno. Solo verlo da mal fario. Al entrar para volcar en el ordenador el material de grabación de esta mañana en casa de los Blanch, he visto una hoja doblada en el borde de la cama. No la he identificado como algo mío, pero tampoco he pensado que tuviera de qué preocuparme. He supuesto que se trataba de una nota de la señora de la limpieza, que, por cierto, me ha dejado la habitación como los chorros del oro.

He cogido la hoja con desgana, triste, apática, aún contagiada por la pena de la madre de Silvia, hasta que la tensión me ha invadido cuando he leído, en letras mayúsculas delineadas con rotulador negro:

«TODOS MIENTEN».

Durante un minuto, me he quedado con la mirada fija en el cuadro que hay sobre el cabezal de la cama, una fotografía aérea del pueblo de Montseny del que hubiera salido huyendo en ese instante. Quienquiera que lo haya escrito ha entrado en mi habitación, ha visto mis cosas, quién sabe qué más ha podido hacer. Tras comprobar que no faltaba nada, me he quedado más tranquila. El ordenador sigue en el escritorio; ningún otro objeto me ha parecido que estuviera fuera de lugar.

Ahora estoy armándome de valor para bajar a recepción y pedir explicaciones sobre la nota que llevo conmigo.

Montserrat está leyendo; al verme, levanta la mirada y, sin un atisbo de simpatía, me pregunta si necesito algo.

—¿Quién ha entrado hoy en mi habitación? —pregunto.

—Abigail, la empleada de la limpieza. ¿No la ha dejado a su gusto?

—¿Y esto?

Frunce el ceño, mira la nota, la lee con atención.

—«Todos mienten» —murmura—. ¿Qué significa?

—Dígamelo usted. ¿A quién ha dejado entrar en mi habitación? —insisto.

—Se lo estoy diciendo. Solo ha entrado Abigail media hora después de que usted se fuera, para limpiar, como en todas las habitaciones.

—¿Quién más tiene llave de las habitaciones?

Me da la espalda y registra los catorce armarios minúsculos que guardan las llaves de todas las habitaciones del hostal. Abre el del número 13 y se queda quieta.

No le veo la cara, pero juraría que no puede mover un solo músculo.

—Espere aquí un segundo.

Se ha dejado el armario abierto. Está vacío. La otra llave de la habitación número 13, la que supongo utiliza la tal Abigail para limpiar, no está.

JAN

—Montse, ahora no puedo hablar, estoy en mitad de la excursión y ya se me ha caído una mujer del caballo.

—¿Por qué has cogido la llave de la habitación de la periodista?

—¿Yo?

—Soy vieja, pero no imbécil. Le has dejado una nota que dice: «Todos mienten». Está en recepción esperando una explicación. ¿Qué le digo?

—Nada. No le digas nada.

—Puedo denunciarte por haber entrado en la habitación de uno de mis huéspedes que, a su vez, puede demandarme a mí. Y no te conviene, Jan. Devuélveme la llave y no te metas en más problemas, ¿entendido? Y mucho menos en mi hostal.

ALEX

Montserrat regresa a la recepción con los hombros encogidos dedicándome, por primera vez, una amplia sonrisa. Ya era hora. «Soy una *persona non grata*, pero aquí, ante todo, soy una huésped», quisiera decirle fijándome en la expresión de preocupación apenas disimulada que se trasluce bajo su sonrisa.

—Abigail ha perdido la copia de la llave, pero le prometo que nadie más que ella ha entrado en su habitación. —Hace una pausa—. Igual la ha escrito usted y no se acuerda.

—Déjelo.

Me rindo.

Discutir y llevarle la contraria no me va a llevar a ninguna parte; está decidida a encubrir a la persona que ha entrado en mi habitación y me ha dejado la nota.

—Alejandra —me detiene antes de que me vaya.

—Puede llamarme Alex. Y tutearme.

—Alex, no te esfuerces. Este pueblo ha sufrido mucho con la desaparición de Silvia, pero ha pasado un año y lo estamos superando.

—Hay una madre desquiciada que necesita saber dónde está su hija —rebato con tristeza.

—Ese no es tu trabajo, sino el de la Policía, y, a pesar de los esfuerzos y el despliegue que hicieron para la búsqueda, no encontraron nada.

—¿Conocías a Silvia Blanch?

—Claro. Aquí nos conocemos todos, es un pueblo pequeño.

—¿Y qué puedes decirme de ella?

—Nada que no hayan dicho ya. Era preciosa, por dentro y por fuera.

«Qué típico», me callo.

—¿Qué crees que le pasó?

Se queda pensativa durante unos segundos que se me antojan eternos. Se encoge de hombros, emite un suspiro y, con el ceño fruncido, contesta:

—Un forastero. Se la llevó. Mi amiga Berta estaba convencida de que la había visto con su novio, pero resultó que no era Daniel, y la pobre murió preguntándose a quién vio.

—¿Eras amiga de la testigo?

—Berta Bruguera era mi mejor amiga, sí. Y esa siempre fue su versión. Que creía que era Daniel.

No tengo por qué hacerlo. No debería. He cumplido con lo que he venido a hacer, hablar con los padres y la hermana, con quienes Pol había quedado para encargarme el artículo que tengo que escribir. Pero me puede la curiosidad.

—¿Sabes dónde puedo encontrar a Daniel?

—En la misma casa donde vivía con Silvia, no se ha movido de ahí. El pobre. A veces dice que no puede irse porque ¿y si vuelve? —Esboza una sonrisa triste—. Hoy es sábado, trabaja, lo encontrarás a partir de las seis de la tarde en el número 5 del Passeig de la Font, la casa amarilla, al lado de la panadería.

—Gracias, Montserrat.

—Puedes llamarme Montse. Te vas mañana, ¿cierto?

—Sí.

—Déjame aconsejarte que no vuelvas, Alex. Y si vuelves, que no sea para seguir con este tema, que los periodistas tenéis la mala costumbre de meter las narices donde no os llaman.

—¿Es una amenaza?

—Dios me libre de amenazar a nadie, hija.

Sin darme tiempo a preguntar nada más, desaparece por el pasillo en dirección al comedor.

«Todos mienten.»

La propietaria del hostal también. Puede que la persona que me ha dejado la nota esté de mi parte. Es posible que no sea el enemigo y su intención sea ayudarme para descubrir, después de un año de elucubraciones, qué le ocurrió a Silvia Blanch.

Borro más que escribo, así que me doy por vencida y bajo a comer. No estoy inspirada para redactar el artículo, debo aprender a no forzarme tanto, a no querer tenerlo todo para ya. De camino al comedor, veo por la ventana que Jan acompaña a los excursionistas a la entrada del hostal. Me detengo y, por un momento, pienso en la posibilidad de que haya sido él quien ha entrado en mi habitación. Pero ¿cuándo? Se supone que ha estado todo el día de excursión, por lo que descarto esa opción de inmediato, a no ser que le diera tiempo a dejar la nota poco después de que yo me fuera. Al instante se me pasa el hambre voraz que tenía; solo como dos hojas de lechuga con disgusto.

A lo lejos, suenan las campanas de la iglesia, que anuncian que son las cuatro en punto, y decido ir a dar un paseo pese al calor abrasador, motivo por el cual no me cruzo con nadie en el camino. Deben estar todos encerrados en sus casas de piedra, agradables y fresquitas en verano, durmiendo la siesta.

—Yo de ti me pondría protección solar —dice una voz a mi espalda.

—Jan.

Meto la mano en el bolsillo de mi pantalón donde tengo la nota. La estrujo. La olvido. Es lo mejor.

—Voy a dar un paseo por el pueblo. ¿Qué tal la excursión?

—Una mujer se ha caído del caballo, cómo se nota que sois de ciudad —ríe.

No parece el mismo arrogante de ayer, hoy me resulta más simpático.

—Por lo demás, todo bien. ¿Has hablado con mis tíos? —se interesa.

—Esta mañana.

—¿Qué te han dicho?

Quiere aparentar tranquilidad, pero noto que está ansioso por que le dé una respuesta. Traga saliva, aprieta la mandíbula, está tenso, la nuez del cuello va arriba y abajo, arriba y abajo…, mirarla es casi hipnótico.

—Tendrás que esperar a leer el artículo, lo siento.

—Claro —acepta cruzándose de brazos.

—Ayer, cuando me dijiste que no podías seguir… —dejo morir las palabras en mis labios, y él aprovecha para zanjar el asunto:

—Olvídalo. No tengo más que decir.

Mientras se está dando la vuelta para alejarse calle arriba, saco mi móvil y le hago una foto. No se da cuenta, soy más rápida que él; disimulo con la mirada fija en la pantalla por si se gira, y sigo mi camino. Miro la foto. Se le ve un poco el perfil, la ropa sucia y el cabello negro. Le mando un wasap a Dídac con la foto adjunta de Jan:

Alex 16:10
¿Es este el que te machacó la nariz?

Dídac 16:15
Este. Este es el bestia. Cuidado con él.

Alex 16:16
¿Crees que le pudo hacer daño a Silvia?

Dídac 16:21
El primo fue mi principal sospechoso, pero no encontraron ninguna prueba para incriminarlo, lo dejaron libre después de interrogarlo. Te mando un mail, vas a ver de qué pie cojea el tío.

Subo la cuesta que me conduce a la Plaça de la Vila, con su mirador y, enfrente, el Ayuntamiento y la iglesia románica de Sant Julià de Montseny, que me conformo con mirar desde los barrotes de la verja cerrada a cal y canto. Enciendo un cigarro, cruzo a la otra acera y me acomodo en uno de los bancos del mirador cobijándome a la sombra de un árbol. Se oyen voces que provienen del restaurante L'Estanc, al que entro cuando termino de fumar, cansada del paisaje verde y frondoso que he tenido solo para mí durante el tiempo que ha durado el cigarro.

En la barra, de espaldas a la puerta, hay un hombre al que, cuando se gira para ver quién ha entrado, reconozco de haberlo visto en televisión, aunque está más delgado y ojeroso. Es Daniel, la pareja de Silvia, que ha vuelto a centrar su mirada en el botellín de cerveza. Estoy de suerte. No esperaba verlo hasta las seis, tal y como me ha dicho Montse, y habría sido un poco incómodo presentarme en su casa sin avisar.

—Buenas tardes —saludo.

—¿Qué va a ser? —pregunta el camarero mientras me siento cerca de Daniel, dejando un taburete libre en medio de los dos.

No es mi intención ocupar su espacio vital de buenas a primeras.

—Una cerveza, como él. —Daniel me mira, sonríe—. Hola, soy Alex.

—Daniel.

Su mirada es triste. Su sonrisa también. Lleva la cabeza rapada; la piel tan blanca que parece que cualquier rayo de sol lo pudiera aniquilar; los ojos negros como canicas se muestran perdidos, como si no vieran nada en realidad. El camarero me sirve la cerveza, está fresca, le doy un trago y compruebo que Daniel se ha olvidado de que existo.

—Daniel, soy periodista del diario *Barcelona ahora*. —Me ignora, chasquea la lengua y, tranquilo, sigue bebiendo cerveza—. He venido hasta aquí para escribir un artículo conmemorativo sobre Silvia. Esta mañana he estado con sus padres y su hermana, y me gustaría hablar contigo también.

Solo veo su perfil. Tensa la mandíbula, cierra los ojos y aprieta los puños, rígidos encima de la barra.

—Martí, cóbrame las dos cervezas, por favor.

Antes de que se levante y se largue, me cambio de taburete, me coloco a su lado y me atrevo a poner una mano en su hombro. No se aparta, sigue rígido, apenas se mueve.

—Daniel, sé que debió ser muy duro para ti, pero, por favor, me sería de gran ayuda tener otro punto de vista sobre Silvia. Conocerla mejor.

—No hables en pasado. Sigue siendo muy duro.

Paga las cervezas y se va. No tengo tendencia a rendirme fácilmente, pero dejo que se marche respetando su dolor y me quedo sentada a la barra para terminar la cerveza.

Cuando salgo del bar, veo a Daniel sentado en el banco del mirador, como si me estuviera esperando; me acerco y me siento a su lado. Tras unos pocos minutos en silencio, inspira hondo y habla. Me doy cuenta de que lleva alguna cerveza de más, por lo que quizá no sea difícil sonsacarle información. Al fin y al cabo, cuando estamos ebrios tendemos a hablar demasiado sin mentir.

—Será mejor que vayamos a mi casa —propone mirando a su alrededor—. Lo último que me falta es que digan que eres mi nueva novia, que qué rápido he olvidado a Silvia… A la gente le gusta hablar; en los pueblos parece que no tengan otra cosa mejor que hacer que meterse en la vida de los demás —añade con una mueca de asco.

Sigue sin haber nadie en la calle, ningún jubilado de los que ayer por la tarde estaban en la terraza del hostal pasea a duras penas con su bastón, pero nunca se sabe quién puede estar observándote a través de una mirilla o de una ventana.

—Claro, como quieras.

Enfilamos calle arriba, donde la Plaça de la Vila da paso al Passeig de la Font, cuya hilera de casas termina en una panadería, cerrada a estas horas y amarilla como la fachada de dos plantas de la casa de Daniel. El salón nos recibe en penumbra y, por un momento, me embriaga una emoción que roza lo extraño al pensar en la cantidad de veces que Silvia entró por esa misma puerta. Daniel se apresura a encender la luz. Hay pocos muebles, como si quien viviera aquí estuviera a punto de mudarse o lo hubiera vendido todo. Al contrario que en la casa de los Blanch, no hay fotografías ni recuerdos, solo la nada, el olvido.

—¿Quieres tomar algo?

—No, gracias. No quiero robarte mucho tiempo, Daniel.

—No importa. Total, no tengo otra cosa mejor que hacer… Si quieres, puedes sentarte —sugiere señalándome un sofá de dos plazas que queda enfrente del otro sofá donde se ha acomodado él. Se sostiene la cabeza con las manos, como si estuviera mareado. Parece que pueda caerse de lado en cualquier momento.

—¿Te encuentras bien, Daniel?

—Sí, sí…, tú…, tú pregunta lo que quieras.

—¿Puedo encender la grabadora? —le pregunto ya sentada frente a él. Nos separa una mesa de madera de centro polvorienta.

—Sí.

—Imagino que ha sido un año duro, Daniel. Cuando piensas en Silvia, ¿qué recuerdo te suele venir a la cabeza?

No se esperaba una pregunta así. Yo tampoco, la verdad.

—Silvia me era infiel —suelta de repente mirando al techo, como si hablar le supusiera un esfuerzo tremendo, pero aun así le veo empeñado en continuar con su testimonio ante mi interesada mirada y mi cabeza funcionando a mil por hora, asimilando cada una de las palabras que arrastra con pesar—: Llevábamos saliendo desde que teníamos dieciséis años, éramos críos, pero superamos mil baches. Ella se fue a estudiar a Barcelona; era brillante, podría haber estado con cualquiera, pero venía al pueblo cada fin de semana para estar conmigo. A mí nunca me gustó estudiar, así que, al poco tiempo de acabar bachillerato, conseguí trabajo en Barcelona para estar cerca de ella.

Lo animo a seguir con un gesto de comprensión, simulando ser una amiga íntima en lugar de una periodista. Me pregunto si Daniel ya hizo esta confesión hace un año, si se lo contó a la Policía. Sea como sea, yo no tenía ninguna constancia de que Daniel hubiera contado que Silvia tenía un amante, un detalle importante que, quizá, habría provocado un cambio en el rumbo de la investigación.

—Al terminar la carrera, alquilamos esta casa y vinimos

a vivir aquí —continúa con el ceño fruncido, como si nada de lo que viera le gustara—. Teníamos que bajar a Barcelona cada día, pero daba igual, vivíamos tranquilos. El pueblo nos gustaba. Esta casa nos gustaba. La recuerdo ilusionada pensando en cómo la iba a decorar, pero nunca llegó a hacerlo. Demasiado trabajo. Demasiadas escapadas. Silvia nunca fue feliz conmigo, aspiraba a más, a mucho más. A alguien más listo que yo, con un buen trabajo y dinero, pero no lo entendí hasta que desapareció. Solo soy reponedor en un supermercado, mientras ella era una abogada de éxito que iba a empezar a trabajar en un gran bufete cobrando cifras astronómicas. La verdad es que no pegábamos ni con cola, tendría que haberlo visto… Después de un año sin saber qué ha sido de ella, lo primero que me viene a la cabeza no es ningún recuerdo juntos, sino el pensamiento y la firme seguridad de que tenía un amante.

—¿Con alguien del trabajo?

—No lo sé.

—¿Cómo puedes estar tan seguro de que te era infiel?

—Los miércoles llegaba tarde a casa, a veces de madrugada —contesta abiertamente—. Decía que era día de reuniones, que tenían pleitos que procesar, no sé, cosas así…, nunca entendía lo que me decía. Un miércoles cualquiera quise ir a sorprenderla al bufete. Le llevé flores y una caja de bombones, un gesto romántico para animarla. Pero no estaba. Quedé como un imbécil al volver otro miércoles; la recepcionista no sabía dónde meterse. «No, los miércoles Silvia sale antes», me dijo, incapaz de mirarme a los ojos. Nunca le dije nada, tenía demasiado miedo a perderla, así que preferí vivir en una mentira, seguir con ella a pesar de saber que la compartía con alguien. No sé con quién.

—¿Qué crees que pudo pasarle?

—Creo que está viva. Que se largó con su amante —contesta expresando cólera y tristeza al mismo tiempo, con los puños presionando sus rodillas.

—Daniel, ¿le has hablado a la Policía de esto? ¿Les contaste hace un año que creías que Silvia tenía un amante? Porque puede ser importante para dar con su paradero.

Por primera vez, tengo la esperanza de que Silvia siga con vida. Pero Daniel, con la mirada fija en la mesa de centro, niega con la cabeza.

—Daniel —insisto cuando veo que vuelve a sostenerse la cabeza con las manos. Necesito que siga aquí conmigo, que no se ponga a dormir la mona ahora—, sus padres creen que Silvia sería incapaz de irse sin decirles nada.

Esboza una sonrisa y dirige un dedo a la pantalla de mi iPhone. Apaga la grabadora. Se lo permito.

—Te voy a contar algo que no sabe nadie, pero solo porque necesito soltarlo. Sí, vale, y porque voy un poco borracho —reconoce ladeando la cabeza—. Pero no puedes desvelarlo. Tampoco lo que te acabo de contar, eso me haría quedar en muy mal lugar. ¿Quién le permite a su mujer que se folle a otro? —pregunta con desprecio, más para sí mismo que para mí.

—Puedes confiar en mí, Daniel —le prometo, pese a ser consciente de que estoy consiguiendo la clase de exclusiva que un periodista no quiere arriesgarse a perder.

—Todo el mundo habla maravillas de Silvia. Y sí, era maravillosa, qué te voy a decir yo, que estaba enamorado hasta las trancas de ella. Pero a veces, en sueños, gritaba. A menudo se quedaba en Babia, ida, pensando… Vivía en su propio mundo; era imposible entrar en él. Cuando creía que nadie la miraba hacía cosas raras que yo no entendía, pero lo que Silvia no sabía era que yo estaba pendiente de ella a cada momento.

—¿Crees que estaba sometida a mucha presión? El trabajo o…

—Durante toda su vida ha estado sometida a mucho estrés, demasiado —me interrumpe—. Eso le provocó una relación tóxica con la comida que la llevó a vivir etapas en las que apenas comía o se provocaba el vómito. Sus padres siempre han sido muy estrictos, sobre todo el padre. Siempre quisieron lo mejor para ella, pero no lo supieron gestionar bien. Así como a Cristina le dieron más libertad, a Silvia, por ser la pequeña, la deseada y la inesperada, la protegieron en exceso. Silvia decía que lo único que quería era que sus padres se sintieran orgullosos de ella. Tenía que ser la mejor en todo, ¿sabes? Era su prioridad, y una persona que vive obsesionada con eso termina volviéndose loca.

—Y por eso piensas que nadie le hizo nada, sino que se fue por voluntad propia —conjeturo.

—Sí. Pondría la mano en el fuego a que, cuando Berta la vio en la carretera, estaba con su amante, aunque pensó que era yo, algo del todo imposible porque estaba jugando un partido de fútbol en Barcelona con los compañeros del trabajo —me recuerda—. Silvia dejó su coche en la carretera, se llevó todas sus pertenencias, incluido el móvil, del que nunca se separaba, seguramente para que yo no le pillara su mentira, y se largaron en otro coche. ¿Dónde? No lo sé. Pero por eso no encontraron sangre, restos de lucha o lo que sea... Bah, da igual... No le habrá importado dejarme aquí, con la vida hecha una mierda, sin saber qué ha sido de ella.

—Lo siento muchísimo.

—Que no te mientan. He tratado de reconstruir la vida de Silvia los últimos meses antes de que se la tragara la tierra y, por más que me he devanado los sesos, no he encontrado nada raro. Silvia era una mentirosa compulsiva. Una experta en mantener sus secretos a salvo.

25 DE JULIO DE 2017
DOS DÍAS ANTES DE DESAPARECER
—

SILVIA

El secreto mejor guardado conlleva el irremediable deseo de ser revelado. Dejar de sentir vergüenza, pudor o inhibición por aquello que sentimos, hicimos o dijimos. Que nuestras luces devoren a nuestras sombras. Liberarnos, al fin, del saco de los remordimientos. Y, sin embargo, todos estamos hechos de esa materia que nos empuja a ocultar partes de nuestra vida; la impureza que encerramos para siempre en nuestro interior, con la perversa intención de permanecer intactos en nuestro exterior y seguir adelante con nuestras vidas que suponemos felices, aunque infantilmente irreales.

Contarle la verdad puede suponer el cambio que con tanto recelo deseo: irnos del pueblo. Los dos juntos, sin mirar atrás, sin convertirnos en la habladuría de quienes no tienen otra cosa que hacer que cotillear vidas ajenas. Sería bonito, sobre todo ahora, aunque todo es contradictorio en mí. Me es imposible pensar con claridad, temo su reacción, y eso me hace estar más callada de lo normal. Ojalá Daniel siga con la venda en los ojos que lo aleja del dolor. El cambio de trabajo ha llegado en el mejor momento; me escondo en mi caparazón con la excusa de los nervios.

Contemplo mi reflejo en el espejo cuando, en mitad de la noche, me despierto sudorosa tras una de mis pesadillas recurrentes en las que me veo a mí misma muerta en el pantano. Sus manos alrededor de mi cuello, presionando con fuerza, con rabia; yo, rodeada de algas y peces, luchando por sobrevivir, por respirar, por volver a la superficie.

No me reconozco. Crees saber qué aspecto tienes hasta que te encuentras a una desconocida devolviéndote una mirada ausente. Me asusto. Me siento un despojo queriendo aparentar algo que en realidad no soy y me pregunto: ¿Cómo debe sentirse él?

«Si te vieras con mis ojos…», murmura a veces colmándome de besos y caricias.

Mañana nos veremos en Barcelona, como cada miércoles por la tarde, a las seis. Haremos el amor en la cama de un hotel; siempre vamos a uno diferente, no nos gusta depender de un lugar fijo. Suficiente dependencia tenemos el uno del otro como para atarnos también a lugares. El juego se me está yendo de las manos, lo sé, pero era algo que intuía cuando lo iniciamos, hace ya diez años, cuando por fin me hice adulta y se fijó en mí, mirándome con otros ojos, los del deseo, los de esta obsesión que me tiene al borde de la locura. Al borde de un acantilado por el que estoy a punto de lanzarme sin paracaídas poniendo en riesgo mi propia vida por él. Solo por él.

Porque siempre ha sido y será él.

21 DE JULIO DE 2018
—
ALEX

Cuando he salido de casa de Daniel, con los ánimos por los suelos y la promesa de que no desvelaré nada de lo que me ha contado a pesar de lo mucho que podría beneficiar a mi carrera, recibo un correo electrónico de Dídac con varios archivos adjuntos. El protagonista indiscutible es Jan Blanch y una mujer, Carlota Riera, que lo denunció por acoso y violación en el año 2013. No indica el motivo, pero leo que antes de llegar a juicio Carlota retiró la denuncia.

Sé, porque me lo dijo Josep Blanch, que Carlota vive en Barcelona. Busco su nombre y apellido en Facebook. Solo aparecen tres «Carlota Riera», y al acotar la búsqueda a Barcelona, se queda en una y, ¡listo!, creo tenerla. La fotografía de su perfil es provocativa: una mujer atractiva de treinta y pocos años con los ojos oscuros, melena larga teñida de rubio y los labios gruesos —parecen operados— pintados de rojo. Tiene 536 amigos y un perfil bastante público en el que suele compartir vídeos de gatos, perros y bebés graciosos. Debe tener algunas publicaciones privadas, seguro, pero también hay fotografías públicas donde la han etiquetado. En ellas se la ve despreocupada, alegre y sonriente, de fiesta con amigas; en todas aparece con una copa en la mano. Hago una captura de pantalla con la información del lugar donde dice que trabaja como recepcionista. Es una empresa de metalúrgica ubicada en el polígono industrial de Almeda, en Cornellà de Llobregat.

A las seis de la tarde, sin ganas de encerrarme en la habitación del hostal y sin ideas sobre cómo empezar a redactar el artículo, me acomodo en una de las mesas de la terraza junto a los jubilados, que ya no me prestan atención. La partida de dominó que los tiene enfrentados parece de lo más interesante.

Enciendo un cigarrillo. Me abstraigo contemplando las vistas en lugar del móvil; el sol ocultándose lentamente en el horizonte sobre el telón de tonos anaranjados y rosados que pinta el cielo del atardecer. Visualizo a Daniel, su tristeza y sus palabras, el único que cree que Silvia sigue viva y ha desaparecido con un supuesto amante de manera voluntaria. Pienso en la nota que alguien ha dejado en mi habitación aprovechando que estaba en casa de los Blanch. En la advertencia: «Todos mienten». Y luego está Jan, el primo, que de tan inquietante que resulta es el que menos culpa creo que tiene, pese a sus antecedentes.

Un golpe seco en la mesa interrumpe mis pensamientos. Y veo al susodicho de pie con una Coca-Cola en la mano y otra Light que acaba de dejar en la mesa para mí.

—Tengo que decirle a Montse que despida al camarero. No vale para nada —suelta, y pregunta señalando la silla libre—: ¿Puedo?

—Sssí… —respondo extrañada por su repentino cambio, una amabilidad que me parece impuesta e interesada.

Desde la última vez que lo he visto, hace unas horas, a Jan le ha dado tiempo de pasar por la ducha —todavía tiene el pelo mojado—, afeitarse y cambiarse de ropa. Lleva puesta una camiseta blanca de manga corta y unos tejanos; huele muy buen, a cítrico y a loción de afeitado.

—Gracias por la Coca-Cola.

—Light —señala guiñándome un ojo y encendiendo un cigarro—. ¿Qué tal? ¿Cómo te trata el pueblo?

—He venido solo por trabajo —le recuerdo, un poco confundida. ¿Dónde está el tío borde que conocí ayer?—, pero es bonito.

—Y tranquilo.

—Y tranquilo —repito asintiendo con la cabeza.

—¿Cuándo te vas? —quiere saber.

—Mañana por la mañana. Creo que ya he cumplido con mi misión.

—¿Y no vas a volver? Yo que te quería regalar una excursión a caballo…

—¿No dijiste ayer que no te gustan los periodistas, Jan?

—Puedo hacer excepciones… —musita divertido—. Perdona por lo de ayer, fui un idiota, tenía un mal día. Te juro que en realidad no soy así. —Levanta las manos en son de paz—. ¿Qué me dices a lo de la excursión, eh?

—Nunca me he subido a un caballo. Me da miedo.

—Pues un paseo por el bosque —propone sonriente.

De repente y sin premeditación, la fotografía del perfil de Facebook de Carlota Riera aparece como una bala por mi mente.

¿Está coqueteando conmigo? ¿Qué quiere de mí?

—Nunca se sabe. Jan… —No puedo irme y quedarme con la duda. Le doy una calada al cigarro, trago saliva—. Cuando he estado en casa de tus tíos ha salido un nombre.

—Carlota —adivina.

—¿Qué pasó?

—Lo expliqué mil veces, pero nadie me creyó. Nadie, salvo Silvia; ella fue la única persona que me apoyó cuando más lo necesité. Ni acosaba ni violé a Carlota. Nos acostamos una noche con su consentimiento. Yo iba borracho, la verdad. Luego la eché de mi casa. Intentó quedarse de malas maneras, decía que quería dormir conmigo, que la abrazara, pero le dejé claro que no estaba interesado en nada más y se inventó esa historia. Casi no recuerdo nada de aquella noche. Si hubiera conservado el wasap que me mandó horas más tarde, a lo mejor todo habría sido diferente, pero lo borré nada más recibirlo.

—¿Qué decía el wasap?

—Algo así como que se iba a vengar de mí. Que no era de *esas* a las que un tío rechaza.

—Así que, como venganza personal por haber pasado de ella, se inventó que la violaste —intento comprender—. Pero ¿cómo la creyeron?

—Esa misma noche condujo hasta comisaría y me denunció. Se rasgó la ropa, se provocó heridas, a saber cómo, y, como aún tenía restos de mi semen, la creyeron. Se inventó que llevaba días siguiéndola y acosándola cuando jamás la llamé ni le envié un solo mensaje. De eso, claro, no tenía pruebas, pero la creyeron igual.

—¿Por qué retiró la denuncia?

—Vaya, estás bien informada. —Sonríe levantando una ceja—. Me chantajeó. Retiraría la denuncia y desaparecería de mi vida si le daba 20.000 euros. Quería salir del pueblo, alquilar un piso en Barcelona, tener dinero. Le di los 20.000 euros que me pidió y, sí, me dejó en paz y retiró la denuncia, pero el pueblo se enteró y pensó que pagué porque era culpable, porque tenía cosas que ocultar. Puede que hubiese sido mejor entrar en la cárcel, no sé. Aún hoy siguen sin creer que soy inocente y piensan que me libré de la condena con dinero sucio.

—Yo te creo.

—Te lo agradezco, periodista.

JAN

—¿Se lo has contado, Jan?

—Sí, ya está. Se lo ha tragado.

—Genial. De lo otro nada, ¿no?

—Nada. No tienes nada de qué preocuparte, aunque sigue sin soltar prenda de lo que ha estado hablando con mis tíos.

—¿Se va mañana?

—Por la mañana, sí, y no parece tener intención de volver.

—Genial, Jan, genial. Lo que menos necesitamos ahora son periodistas merodeando por aquí.

22 DE JULIO DE 2018

ALEX

Anoche escribí el primer borrador del artículo. Me salió ñoño, como me pidió Pol; espero rematarlo en casa esta tarde. Lo interesante sería añadir que Daniel cree que Silvia le era infiel, pero le he dado mi palabra de que no lo desvelaría y las promesas están para cumplirlas. Todavía quedamos periodistas con escrúpulos en los que poder confiar, así que lo que sé me lo guardo para mí. ¿Para qué? No tengo ni idea, pero me inquieta que Daniel haya declarado que Silvia se ha fugado con su amante mientras el resto del mundo, incluidos sus padres y su hermana, asegura que está muerta. A la gente le gusta hablar, opinar…, he escuchado cientos de cavilaciones sobre qué le pudo ocurrir a Silvia Blanch, pero no hay duda alguna de que, si alguien la conocía bien, ese era su novio, y ni siquiera parece estar convencido de saber con quién vivía. Su hipótesis no es en absoluto descabellada, claro, y se acerca a lo que podría haber ocurrido la noche del 27 de julio de 2017 con solo una testigo enferma de cáncer que murió hace meses. Dejando a un lado el tema del supuesto amante con el que Daniel cree que se ha fugado, pienso en la seguridad que tienen los Blanch de que Silvia viera en la carretera a algún forastero, a un autoestopista, y tomara la mala decisión de parar el coche para ayudarlo. El reloj estaba a punto de marcar las diez de la noche; aún había luz natural. Él abrió la puerta del copiloto;

ella, confiada, bajó y se acercó a él, momento en que Berta Bruguera pasó con su coche, los vio y no le dio la más mínima importancia al creer que Silvia estaba con su novio. Puede que el extraño tuviera la misma estatura y complexión que Daniel, detalles que se tuvieron en cuenta en la infructuosa búsqueda. A esas horas, el sol ya había desaparecido casi por completo y la vecina apenas pudo ver con claridad de quién se trataba; sin embargo, confió en que no había peligro. Se culparía de ello durante el poco tiempo que le quedaba de vida. Después de eso, no quiero imaginar el calvario que tuvo que vivir Silvia. El hombre pudo violarla, la mató, robó su móvil y el resto de sus pertenencias, y la hizo desaparecer, a lo mejor lejos de la zona, en algún lugar recóndito en el que no buscaron, puesto que se limitaron a los alrededores del pueblo y las zonas boscosas, incluido el pantano de Santa Fe. Pero ¿cómo pudo deshacerse del cadáver? ¿Tendría otro coche aparcado en algún lugar para esconderla en el maletero y transportarla a su tumba improvisada? ¿Nadie aparte de Berta vio nada?

«Todos mienten.»

¿Y si en realidad Silvia se detuvo porque conocía a su verdugo? Pero, claro, es un pueblo pequeño en el que todos confían los unos en los otros y, aparentemente, nadie es capaz de matar a una mosca; si el asesino está entre ellos, es más probable que pase desapercibido. No obstante, quien no parece pasar desapercibido es Jan. «Nadie me creyó», dijo ayer respecto a la falsa denuncia de Carlota cinco años atrás. Pero yo, que lo miré a los ojos y estuve atenta a cada uno de sus gestos, sí creí su versión. Y me invadió la pena.

Me estoy obsesionando, me conozco bien. Por un momento, fantaseo con la posibilidad de llevar la investigación por mi cuenta y descubrir qué le pasó a Silvia, aunque se trate solo de una locura de las mías.

—¿Ya te vas? —pregunta Montse.

—Obvio —contesto devolviéndole la llave de la habitación.

—¿Has cogido algo del minibar?

—No.

—Entonces ya está, todo en orden.

—Gracias.

—Que vaya bien. Y si en el artículo puedes colocar el nombre del hostal, me harías publicidad gratis —sugiere con una amplia sonrisa.

—Claro.

«Qué maja se vuelve la gente cuando te pide favores, ¿verdad?»

En el momento en que abro el maletero para dejar mi equipaje, aparece el todoterreno sucio de Jan. Aparca a mi lado y no tarda ni un segundo en bajar y acercarse.

—Buen viaje.

—Gracias.

—¿Te volveremos a ver por aquí?

—Nunca se sabe.

—Leeré tu artículo.

—Así te enterarás de qué me contaron tus tíos.

—Y Daniel.

—¿Daniel? ¿Cómo sabes que estuve hablando con él?

—Te vi yendo con él a su casa… —confiesa tirante, llevándose la mano a la nuca.

—¿Me seguiste? —apostillo tan tensa como él.

—No, para nada —ríe despreocupado—. Iba de camino a L'Estanc y os vi yendo en dirección a su casa. Este pueblo es pequeño, no es raro coincidir.

—Ya veo. Aquí todo el mundo se entera de todo, menos de lo que realmente importa —ironizo—. Mi conversación con Daniel es privada, así que nada de lo que estuvimos hablando aparecerá en el artículo —le explico, aunque sé que no tengo por qué hacerlo—. Que te vaya bien, Jan.

—Igualmente, periodista. Cuídate.

ALEX

Después de un par de días rodeada de montañas, árboles, caminos sin asfaltar y casas bajas de piedra, me siento extraña en la gran ciudad, donde el aire puro ha desaparecido y trago más humo de los coches que de mis habituales cigarros. El barrio de Gràcia me recibe vibrante, como siempre, con sus terrazas al sol llenas de gente y de vida; no obstante, este bochorno asfixiante va a acabar con la humanidad. Con el peso de mi equipaje en el hombro derecho, enciendo un cigarrillo que dura los cinco minutos que hay entre el *parking* y mi apartamento, en el número 39 de la calle Alegre de Dalt. Subo las escaleras hasta el primer piso y me encierro en mis cincuenta metros cuadrados con vistas a la calle desde el salón que, a su vez, también es la cocina, el comedor y el despacho. Todo en uno, qué comodidad. Dejo la maleta en el suelo del dormitorio y preparo café. Es la una del mediodía, debería pensar en comer algo, aunque solo sea un sándwich, pero mi cabeza le da vueltas al artículo que tengo que entregar mañana a primera hora. Sin más dilación, enciendo el Mac de mesa al mismo tiempo que abro las ventanas para ventilar la estancia.

No sé cuánto tiempo llevo delante de la pantalla leyendo y releyendo el borrador. El cenicero está a rebosar de colillas; ni la ventana abierta es capaz de protegerme del submarino en el que he convertido mi piso.

—Es una mierda. Eso es lo que va a decir Pol, que es una mierda.

Hablo en voz alta, como las locas. Enciendo un cigarrillo y cierro los ojos unos segundos, me empiezan a escocer.

Lo borro todo. Vuelvo a empezar. Me frustro y me maldigo pensando en cualquier otra profesión que no me diera estos quebraderos de cabeza. No me extraña que Pol confíe poco en mi futuro literario si no soy capaz de escribir un puñetero artículo de seiscientas palabras.

A las seis de la tarde, cuando llevo cuatro cafés y la Nespresso echa humo, mando un wasap desesperado al grupo «Las seis mosqueteras». De las seis amigas, solo Claudia y yo seguimos solteras, pero todas vivimos cerca y a mí lo mismo me da tomar una cerveza en Gràcia que en la Barceloneta. Ninguna responde, no de inmediato, que es lo que necesito ahora. Tardaron dos días en contestarme cuando quise planear unas vacaciones juntas en agosto, las dos primeras semanas que tengo de descanso, porque, por lo visto, ya tienen planes con sus novios. Ya ves tú. Qué tendrán ellos que no tenga yo. Seguro que no se saben tantos chistes.

Me entretengo un rato buscando información sobre Silvia Blanch, como si no lo hubiera hecho mil veces este fin de semana. Una hora de mi vida se esfuma cotejando informes, mirando fotografías en Internet y escuchando, una y otra vez, las voces de sus padres y su hermana en el audio que grabé. Cada vez que suena la voz susurrante de Cati, un escalofrío recorre todo mi cuerpo; es inhumano lo que está sufriendo la pobre mujer.

«¿Quién querría verme así? Soy una muerta en vida.»

Voy a darme una ducha, a ver si el agua fría me destensa y puedo escribir algo decente para entregar mañana a primera hora.

23 DE JULIO DE 2018

—

ALEX

Llego diez minutos tarde a la redacción. Huele, como de costumbre y sobre todo en verano, a una mezcla de sudor, tabaco y café. Me dirijo a mi cubículo, saludo a los redactores que encuentro a mi paso, y lucho por concentrarme a pesar del repiqueteo constante de las teclas, el timbrazo de los teléfonos, la modulación de las voces al hablar y, sobre todo, el zumbido de los fluorescentes. Me aparto el flequillo de la frente, me abanico con el primer papel que encuentro y decido rematar el artículo con la frase que me ha estado atormentando toda la noche en sueños, con el bonito rostro de Silvia acechando en la oscuridad.

Inspiro hondo antes de levantarme e ir hasta el despacho de Pol, que está masajeándose el puente de la nariz con la mirada fija en la pantalla de su ordenador. Eso solo pueden significar dos cosas: que está de resaca o que tiene un mal día. Espero que sea lo primero, pero los lunes son, en general, muy malos para todo el mundo. Acabo de llegar y ya necesito un cigarro que calme mis nervios. El caso Blanch me trae de cabeza; desde que he llegado a Barcelona me ha sido imposible pensar en otra cosa que no sea ella y su primo.

—¿Se puede? —pregunto dando dos golpes a la puerta de cristal.

—¿Qué tal el fin de semana en Montseny?

—Bien, bien. Estuve con los padres y la hermana de Silvia. También conocí al hermano de la madre, Artur, pero no pude hablar con él. Se fue enseguida.

—¿Y al novio no?

—No —miento, distraída, dirigiendo la mirada a los edificios de oficinas de enfrente a través de la ventana.

—El novio también tenía que estar.

—No recuerdo que me lo dijeras.

—¿No? ¿Seguro? —achina los ojos, frunce el ceño. Cree que le miento, pero es la verdad: en ningún momento mencionó a Daniel—. Bueno, da igual.

—Te dejo el artículo. —Me acerco a su mesa y se lo entrego.

Se pone las gafas de pasta y, con gesto serio, empieza a leer con rapidez. Mueve los labios emitiendo un siseo que me crispa los nervios. A estas alturas debería estar acostumbrada, pero es superior a mí. Asiente con la cabeza, niega, vuelve a negar... Tengo que escaparme de aquí.

—¿Me necesitas en la reunión semanal de las diez? ¿Podría salir un momento? Tengo algo importante que hacer —le pido.

—Un buen periodista tiene que salir a menudo de la redacción y, además, te he tenido el fin de semana ocupada por el artículo, así que te puedes tomar el día libre, aunque, si es un recado por trabajo, mejor que mejor.

—Genial, muchas gracias.

—Oye, esto está muy bien. Casi lloro.

El «casi lloro» no es cierto, como casi todo lo que sale por su boca, pero aun así puedo respirar aliviada.

—Olvídate de escribir *thriller*, Alex. Escribe romántica, que siempre vende y se te da mejor.

—Seguiré tus consejos —acierto a decir—. Llámame si me necesitas.

Camino veinte minutos hasta llegar a plaza Cataluña, donde cojo los Ferrocarriles, que me llevarán a la zona de Almeda, en Cornellà. Cuando llego al polígono, me dejo guiar por Google Maps. Camino durante cinco minutos más cruzándome con obreros y empresarios; la zona está repleta de edificios de oficinas, fábricas, restaurantes y un Corte Inglés.

Cuando creo estar frente a la fábrica donde se supone que trabaja Carlota Riera, aumenta mi curiosidad por verla en persona tras haber espiado sus redes sociales. La fachada es de ladrillo rojo y hay dos entradas. Una puerta metálica con un interfono pegado a la pared me indica que es la empresa correcta; la otra, corredera, está medio abierta, así que me permite ver su interior: tres operarios trabajando con máquinas enormes. Por culpa del ruido ensordecedor no me oyen, así que decido tocar el interfono de la entrada pequeña. La puerta se abre y, nada más entrar, me topo de frente con el mostrador de recepción, donde hay dos mujeres. Una de ellas es Carlota, la reconozco al instante por su melena rubia oxigenada recogida en un moño y exceso de maquillaje barato.

—¿Vienes a dejar un paquete? —pregunta con un tono de voz chillón y desagradable, al mismo tiempo que masca chicle.

Por un momento me pregunto qué vio Jan para acostarse con ella por muy bebido que fuera esa noche, entendiendo por qué luego la ignoró pese al alto precio que tuvo que pagar.

—Nena, ¿me has oído? No tengo todo el día. Que si vienes a dejar un paquete, te he dicho.

La compañera de Carlota, una mujer menuda con gafas, la mira como si le tuviera miedo.

—No, no vengo a dejar ningún paquete. ¿Eres Carlota Riera?

—¿Y tú eres poli?

—Soy Alex Duarte, periodista de *Barcelona ahora*.

—Vete de aquí.

—No, espera… —le pido acobardada cuando se levanta. El momento me recuerda a todas aquellas niñas en el patio del colegio que me acorralaban y me pegaban chicles en el pelo—. No te quitaré mucho tiempo, prometido. Solo quiero conocer tu versión sobre lo que ocurrió con Jan Blanch.

—¡Ni me lo menciones! —grita—. Puto desgraciado. ¿Qué quieres saber?

Vuelve a sentarse. Siempre me ha dado un poco de repelús el ruidito que hace la gente al mascar chicle, pero lo raro viene cuando Carlota empieza a juguetear sacándolo, alargándolo y enroscándolo en el dedo. Es asqueroso.

—He ido a Montseny a escribir un artículo sobre Silvia Blanch. Este viernes se cumplirá un año de su desaparición. Me encontré con su primo, Jan, y, bueno, no tiene buena relación con sus tíos por lo que pasó…

—Me acosaba y me violó —me corta usando un tono de voz prepotente, como si me estuviera riñendo—. Tuvo suerte de que me apiadara de él y retirase la denuncia. Ya te puedes ir.

—Todo tiene un precio, ¿no? Esa no es su versión de los hechos —contrataco.

—Me da igual lo que creas. Solo Jan y yo sabemos lo que pasó y, como bien sabrás, cuando ocurren estas cosas hay que denunciar. No podemos quedarnos calladas. ¿Tú qué hubieras hecho en mi lugar?

—No mentir ni intentar destrozarle la vida a un hombre por rechazarme después de un polvo consentido —me arriesgo a decir.

—Sal de aquí o llamo a la Policía —me amenaza ante la atenta mirada de su compañera de recepción, la mujer de gafas, que no ha abierto la boca en ningún momento.

—Ya me voy —digo retrocediendo con rapidez. Con la mano sujetando el pomo de la puerta, preparada para salir corriendo, añado—: Conocerte en persona me ha ayudado a creer la versión de Jan Blanch, puta mentirosa.

Sus gritos me acompañan hasta que abandono la calle. Ni bajo el sol infernal de julio me siento a salvo. Corro como si estuviera jugándome la vida en una maratón hasta que me planto en el andén de los Ferrocarriles de regreso a casa.

Para que luego digan que no estoy en forma.

24 DE JULIO DE 2018

—

ALEX

En lo único que puedo pensar mientras voy de camino a una rueda de prensa es en que me queda menos de una semana para mis merecidas vacaciones y, por primera vez en años, no tengo ningún plan. Mis amigas, en paradero desconocido; todas ocupadas. Mis padres jubilados, rumbo a la casa estival de Extremadura con previsión de quedarse hasta octubre. Y encima, por si con mi nula vida social no tuviera suficiente desgracia, al mediodía, cuando llego a la redacción, no solo el aire acondicionado me congela la sangre, también lo hace una nota que me entrega la recepcionista. Por lo que ha escrito, parece proceder de la compañera de trabajo de Carlota Riera, a la que recuerdo silenciosa tras el mostrador con las gafas de montura redonda. No dijo nada, pero sé que no perdió detalle del tenso enfrentamiento entre la rubia vulgar y yo.

—Dice que os visteis ayer por la mañana en Almeda y que la llames, que quiere informarte de algo.

—Gracias, Patricia.

Voy hasta mi cubículo, le doy un sorbo al café frío que he dejado sobre la mesa esta mañana y descuelgo el auricular. Marco el número de teléfono, un móvil que empieza por 666, yo y mis supersticiones con los números del diablo; se me eriza el vello. La voz de la mujer contesta al cuarto to-

86

no con un «¿Diga?» susurrante, que me hace pensar que no la pillo en buen momento.

—Hola, soy Alex Duarte, la periodista…

—Sí, esperaba tu llamada. Me llamo Elia, trabajo desde hace cinco años con Carlota Riera, a quien viniste a ver ayer —empieza a decir.

Por su delicado aspecto físico, no esperaba que fuera tan contundente.

—Lo suponía. ¿Qué tienes que contarme? —pregunto mirando al techo rezando para que no me pida nada a cambio. En este rato de silencio en el que parece que está moviéndose a un sitio más discreto, me muerdo la lengua para no añadir: «Estoy en números rojos, no tengo nada que ofrecerte a cambio de tu información». Pero, por si acaso, me callo. No vayamos a darle ideas.

—Tenías razón. —Por el eco, diría que se ha encerrado en un cuarto de baño—. Jan Blanch no violó ni acosó a Carlota. Se acostaron una noche, él no quiso volver a estar con ella, y fue su manera de vengarse. Carlota es así. No es mala chica, pero…

—Lo sé.

—Ya, pero hay algo que probablemente no sepas, y si puedo ayudar en algo… —murmura dejando la frase en el aire.

—¿El qué?

—El responsable de la desaparición de esa chica, Silvia, sí es Jan Blanch, su primo. Eres periodista, deberías indagar.

Me da un vuelco el corazón.

—¿Y tú cómo lo sabes?

—Porque Carlota me lo contó dos días después de que la chica desapareciera, cuando la noticia saltó a los medios. Sé que viniendo de ella pensarás que no tiene credibilidad, que sigue buscando venganza, pero lo dudo porque nunca se ha atrevido a denunciarlo. Tendrías que haber visto su cara, era un poema. Y yo, claro, siendo madre de una niña pequeña, me pongo en la piel de la madre de Silvia, que no sabe nada de su hija desde hace un año, y tengo que decirlo, no me puedo callar.

—¿Qué te contó? —me impaciento.

—Hace cinco años, no me dijo cómo, Carlota descubrió que Silvia y Jan eran amantes.

Las palabras se transforman en volutas de aire que mi cerebro es incapaz de atrapar.

13 DE JULIO DE 2017
DOS SEMANAS ANTES DE DESAPARECER
—

SILVIA

En el santuario en el que se ha convertido mi despacho del bufete que pronto dejaré, ocasionalmente me dejo ir. Descanso la cabeza entre las manos en el escritorio, cierro los ojos con fuerza y aprieto los nudillos. Veo estrellitas, puntos blancos que brillan tanto como diamantes. Es mejor eso que sucumbir a las lágrimas. Nada más salir de la universidad, mi jefe me dijo que la práctica del derecho consiste en ser más persuasivo que tu oponente. Se puede ganar, aunque las pruebas estén contra ti, siempre que argumentes mejor. Y todo consiste en ganar, por supuesto. Pero cuando lo veo, ya sea un miércoles por la tarde en Barcelona, en el pueblo o en una reunión familiar, la persuasión, que tan bien me sirve en el trabajo, desaparece para inutilizarme los sentidos y hacerme débil. Débil y pequeña, como si volviera a tener diez años y él fuera mayor que yo, aunque ahora apenas se note la diferencia de edad. Imposible argumentar. Imposible mirarlo a los ojos delante de la familia, con Daniel al lado, pensando en todo lo que me hace. En lo mucho que me gusta. En lo sucia que me siento cuando por obligación me acuesto con mi novio con los ojos cerrados para imaginar que es él.

El día que alguien descubra algo no me quedará otro remedio que desaparecer. Mis padres no podrían soportarlo;

Daniel tampoco. Sufro por ellos. Por la ira irrefrenable que pueden sentir. Prefiero que vivan con la pena de no tener ni idea de qué fue de mí que con la vergüenza de saber que me enamoré de alguien que estaba prohibido.

Viernes, 27 de julio de 2018
Alejandra Duarte López

UN AÑO SIN SILVIA BLANCH

Hoy se cumple un año desde que Silvia Blanch desapareció. Su coche, un Mini blanco, se quedó en una de las curvas que conducen a su querido pueblo de Montseny mientras ella, su móvil y el resto de sus pertenencias se esfumaron sin dejar rastro. Hay quien aún tiene la esperanza de que esté viva, de que se fuera lejos por voluntad propia. Los menos optimistas elucubran sobre «un forastero que pasó por allí» y se la llevó, pero, pese a las exhaustivas búsquedas, no se halló ni una sola pista que ayude a saber qué le ocurrió a Silvia Blanch aquella noche.

Su desaparición sigue siendo un misterio.

El pasado fin de semana recorrí las calles del pueblecito de Montseny y no me costó imaginar a Silvia, de sonrisa deslumbrante y ojos del mismo color que la esperanza, jugando de niña; tropezando con piedras que su hermana, diez años mayor que ella, la ayudaba a esquivar; aprendiendo a montar en bicicleta con su padre; cocinando galletas de coco, sus preferidas, con su adorada madre; subiendo a las atracciones de la feria con su tío Artur, o jugando al tenis con Daniel, quien se convertiría en su novio adolescente y, años más tarde, en el amor de su vida adulta. En cualquier esquina de ese pueblo rodeado de montañas con atardeceres preciosos, dio su primer beso; paseó por el bosque soñando con ser una ninfa; lloró y rio; pidió deseos a las estrellas; se emocionó en las eternas verbenas de San Juan, sobre todo cuando llegaba el momento de contemplar los fuegos artificiales, y un día, de camino al colegio, decidió que de mayor sería abogada.

Parece que cumplió todos sus sueños, pero nadie le regaló nada. Era ambiciosa en el buen sentido de la palabra, luchó mucho para conseguir lo que se había propuesto.

La recuerdan bonita por dentro y por fuera, una mujer que se esforzaba en ser la mejor en todos los ámbitos de su vida. Como abogada, pese a su juventud, no perdió un solo caso, algo que le había otorgado un prestigio en la profesión. Tenía un futuro prometedor, cuesta hablar de ella en pasado, porque ojalá pudiéramos hacerlo en presente, tenerla delante y preguntarle qué pasó. Berta Bruguera, la última persona que la vio mientras el sol se ocultaba tras las montañas, motivo que le impidió distinguir con claridad quién estaba con Silvia, no se encuentra ya en este mundo para culparse, una y otra vez, por no haberse detenido. «Estaba en peligro y no supe verlo», diría meses más tarde, cuando la joven seguía sin aparecer.

Lo cierto es que después de hablar con sus padres y su hermana, Silvia Blanch es una de esas mujeres a las que me hubiera gustado conocer. Estoy convencida de que habríamos sido buenas amigas. Me gustaría pensar que teníamos, no, perdón, tenemos cosas en común.

Silvia, ojalá aparezcas pronto. Te estamos esperando.

Si alguien te ha visto, ruego que se ponga en contacto con el periódico. Tu familia está deseando verte y, si por lo que sea no puedes aparecer de la manera en la que todo el país querría, hoy me gustaría hablar con el culpable de esa situación y decirle que hay una madre que necesita tener un lugar donde llevarle flores a su hija. ¿Aún hay un corazón ahí?

Las palabras de la hermana de Silvia, Cristina Blanch, me conmocionaron, no se me van de la cabeza, al igual que el rostro de su hermana desaparecida, pero son necesarias para hacer ver que, mal que nos pese, nadie está a salvo. Silvia Blanch seguramente tuvo la mala suerte de estar donde no debía en el momento equivocado.

«Hace un año fue mi hermana, pero hoy, mañana, o la semana que viene, puedo ser yo. Le puede tocar a cualquiera.»

ALEX

El mundo se ha vuelto loco y yo con él. Desde primera hora de la mañana no hemos dejado de recibir llamadas en la redacción asegurando que han visto a Silvia Blanch de maneras inimaginables. Pidiendo limosna en la línea roja del metro, concretamente en la estación de Urquinaona; dándole de comer a los pájaros en plaza Cataluña con ropas estrafalarias; recorriendo las calles del barrio de Horta con la mirada perdida, y mi preferida: trabajando en la sección de perfumería de El Corte Inglés de Diagonal. «Vayan, vayan, allí la encontrarán», ha asegurado una anciana.

Por si acaso, Pol ha enviado a Graciela, la becaria argentina que, al volver a la redacción, ha dicho que ni rastro de Silvia ni de ninguna mujer que se le parezca. Ha hablado con la encargada, que se ha reído de la ocurrencia y, ya de paso, del periódico por ir hasta allí a verificar semejante aviso. También han llamado dos videntes que me han dicho que muy pronto encontraré el amor de mi vida en el lugar más insólito. Una de ellas ha contado que anoche visualizó a Silvia en la Fontana di Trevi, en Roma; la otra, más trágica, ha afirmado que su cadáver no anda lejos de donde vivió y que si llevan un perro rastreador podrá olfatear sus huesos bajo un roble cercano al pantano de Santa Fe.

—Se lo he dicho a la Policía cientos de veces desde hace

un año, cuando desapareció, pero no me creen. Piensan que soy una vieja chiflada.

Le he preguntado a Pol qué hacemos con todas esas llamadas. Se ha limitado a responder que de eso se tiene que encargar la Policía, no el periódico, y que felicidades por mi artículo; la tirada de hoy se ha vendido muy bien y ha tenido récord histórico de visitas en el portal de Internet, aunque la fotografía de Silvia, que ocupa media página, también ha ayudado. Eso, en mi mundo, parece ser lo único que importa. Todo por la audiencia. Muy triste.

Cuento las horas para volver a Montseny, esta vez a pasar unos días de vacaciones, pero Pol no me deja despegar el trasero de mi asiento. «Tienes que atender las llamadas de tus admiradores», se ha reído. Hace tres días hice mi reserva por Internet en el hostal Montserrat a nombre de Svetlana Petrov. No podía arriesgarme a que Montse me reconociera y no me diera alojamiento o, lo que es peor, que se le ocurriera volver a darme la llave de la habitación número 13. Antes de hacer la reserva, ya con el nombre ruso pensado, comprobé que mi cuenta bancaria estuviera saneada como para permitirme pagar ochenta euros diarios —con desayuno incluido— durante quince días. A mi regreso a Barcelona tendré que estar unos cuantos días a base de arroz; pero sí, aunque me dolió como si me clavaran un puñal en las tripas, solté de golpe mil doscientos euros, mis ahorros de diez meses, para tener un lugar donde alojarme en el pueblo y así intentar esclarecer unos cuantos asuntos turbios que no me permiten dormir desde que hablé por teléfono con la compañera de trabajo de Carlota Riera.

Desde ese momento, la mirada de Silvia Blanch se me ha antojado turbia en cada una de las fotografías que sigo mirando desde que creo conocer su secreto. He recordado mis conversaciones con su primo y solo me ha hecho falta volver a escuchar su voz en la grabadora de mi iPhone para refrescar la memoria. Jan me dijo que la última vez que vio a su prima fue el 26 de julio de 2017 en Barcelona, un día antes de la desaparición. Comprobé que fue miércoles. Según Daniel, todos los miércoles Silvia llegaba tarde a casa y él descubrió que el trabajo era una tapadera porque ese día solía salir antes. ¿Qué descubrió Carlota Riera para asegurar que los primos eran amantes? Y si lo fueron, ¿qué implicación tiene Jan en la desaparición de Silvia? La compañera no me dio más detalles, dijo que tenía que colgar, que no intentara ponerme en contacto con ella porque no quería meterse en ningún lío.

«Saber más de la cuenta siempre da problemas», me hubiera gustado decirle después de prometerle que ni ella ni Carlota volverían a saber nada de mí.

—Hija, pero ¿cómo te vas a ir sola a un pueblo donde desapareció una chica hace justo un año? ¿Se te ha ido la cabeza, Alejandra? ¡Con lo a gusto que estarías aquí en Extremadura con nosotros!

—Mamá, solo voy a estar quince días, no está lejos de Barcelona, y te prometo que no me voy a meter en problemas.

—Conozco bien esa promesa. Siempre siempre siempre tienes que estar en el ojo del huracán, metiéndote donde no te llaman, intentando averiguar. Te obsesionas con todo, no puedes seguir así.

—Tendré cuidado.

—Más te vale.

«Tendré cuidado», repito, al cabo de unas horas, cuando arranco el motor de mi coche y escribo la dirección del hostal Montserrat de Montseny en el GPS.

JAN

—¿Otra vez, Jan? ¿Qué parte de «Solo llámame por la mañana» no entiendes?

—Ha vuelto. He visto su coche aparcado en el hostal.

—¿Por qué? ¿Qué más tiene que hacer aquí?

—No tengo ni idea, pero déjamela a mí.

El pueblo de Montseny me recibe más animado que la semana anterior. En cuanto aparco el coche frente al hostal, veo entrar a un grupo de turistas, muy rubios y altísimos, con ropa de montañistas, señal inequívoca de que acaban de llegar de una excursión. A ver si las videntes iban a tener razón y encuentro entre uno de estos suecos al amor de mi vida.

La cara de Montse cambia en cuanto me ve. Le dedico una sonrisa triunfal, desvelo que la reserva a nombre de Svetlana Petrov es mía; la sonrisa triunfal pasa a sus labios cuando me entrega la llave de la habitación número 13, la habitación maldita.

—Ay, Montse, de verdad…

—Es la única que tengo libre —se excusa encogiéndose de hombros.

—Pues te has dejado ese armarito abierto y ahí veo la llave de la 11 disponible.

—La 11 está reservada para unos huéspedes alemanes que llegan mañana.

—Es porque en el artículo no mencioné el hostal, ¿a que sí?

—¿Cómo iba a saber que Svetlana Petrov eras tú? ¿Cómo es que vuelves por aquí?

—Estoy de vacaciones. Quince días.

—No has respondido a mi pregunta —insiste con seriedad.

—Me quedé con ganas de reservar una excursión a caballo con Jan Blanch —me invento recalcando el apellido. La posibilidad de ver el mundo desde lo alto de un caballo gigante me turba.

—Deja tranquilo al chico. Ya ha sufrido bastante.

Detrás de mí hay más huéspedes, por lo que Montse, estresada, me indica con la mano que suba a dejar mis cosas en la habitación. Cojo el ascensor y llego al pasillo, donde imagino a las niñas de la película *El resplandor* cogidas de la mano con sus vestiditos azules *vintage* y sus caras pálidas mirándome desde el fondo, delante de una ventana por la que sobrevuelan motas de polvo. Introduzco la llave en la cerradura y vuelvo a entrar en la habitación número 13. Todo en orden, huele a lavanda y dos bombones en la cama esperan a Svetlana.

Está anocheciendo, pero antes de ir a cenar busco sitio en alguna de las mesas de la terraza. Hoy el camarero sí se deja ver, va arriba y abajo al servicio de los huéspedes, que han usurpado el lugar a los ancianos del pueblo. Ha perdido todo el glamur que le conferían las partidas de mus y dominó.

Enciendo un cigarro, viene el camarero, un chico alto y delgado con cara de no enterarse de nada. Le pido una Coca-Cola, «Light, por favor, que tengo que cuidar la línea», y cuando lo veo alejarse hacia el interior del hostal, se cruza con el mismísimo Jan Blanch, que mira a su alrededor como buscando a alguien y detiene sus ojos en mí cuando me ve.

—Le acabo de pedir la Coca-Cola al camarero, hoy no hace falta que me la vayas a buscar.

—¿De nuevo por aquí?

Arrastra una silla y se sienta a mi lado. Saca una cajetilla de tabaco del bolsillo y se lleva un cigarro a la boca. Ambos exhalamos humo, el camarero me trae mi Coca-Cola e igno-ra a Jan.

—He leído el artículo. Muy conmovedor.

—Hoy hace un año —le recuerdo.

—Hoy, a estas horas, hace un año —repite mirando el reloj.

Casi las diez de la noche, prácticamente la misma hora en la que la vecina fallecida de cáncer aseguró ver a Silvia por última vez. El sol, oculto tras la montaña, dando paso a la lu-na aún difuminada, desprende sus últimos destellos proyectando sombras aterradoras, las mismas que debieron confundir a Berta Bruguera al atisbar la silueta de Silvia detrás de su coche con un hombre que no era Daniel, aunque ella siguiera conduciendo en dirección a su casa pensando que sí.

—La echo de menos —reconoce Jan con la voz quebrada.

Me sorprende su confesión. No, no solo me sorprende, me intriga; tengo que morderme la lengua para no ser tan directa ni tan poco precavida. No quisiera ponerme en peligro al desvelarle que sé algo que él no sabe que sé; los malentendidos de siempre, aunque dudo que sospeche que alguien puede imaginar que tenía un rollo con su prima. No, no puedo. «Cállate», me ordeno mirando a los huéspedes, buscando algún tipo de entretenimiento que no sea el misterio que desprenden los ojos color miel de Jan.

—¿Es la única familia que te queda? Me refiero a los padres y a la hermana de Silvia.

—Sí, pero ya sabes que no me quieren ni ver.

—Porque creen que...

—No tengo ni idea de lo que creen, Alex.

—Bueno, su padre...

—Mi tío es un tirano —me interrumpe—. Lo peor que me pudo pasar cuando mis padres murieron fue tener que vivir en su casa.

Acto seguido, se levanta y se va, dejándome con más preguntas que respuestas. Recuerdo el aspecto rudo del padre de Silvia. Un tipo arisco y duro con un tono de voz basto, muy contrario al de su débil mujer que, de tan flojito que hablaba, necesitaba aguzar el oído para entenderla bien. Una nunca sabe qué es lo que ocurre en una familia de puertas para adentro, qué es verdad y qué es mentira, qué ocultan las apariencias y el hecho de que te quieran hacer creer que ningún problema era lo suficientemente grande como para que Silvia quisiera desaparecer por voluntad propia.

¿Y si todos están equivocados?

¿Y si su primo solo se limitó a ayudarla?

¿Y si la está protegiendo?

Pero ¿de quién?

Se me cierra el estómago de golpe, así que, en lugar de ir a cenar, doy una vuelta por el pueblo. De noche, las montañas parecen no existir, como si la tierra las hubiera engullido, pero a la vez lo invaden todo con su negrura, acompañando a las rutilantes estrellas de la fresca noche. Apenas encuentro a gente, solo en el restaurante L'Estanc hay vida. Desde la plaza se oyen voces; parece haber una pelea. Me asomo a la puerta, aunque no tenía intención de entrar. Veo a Daniel enfrascado en una conversación que va subiendo de tono con el padre de Silvia. Mi mirada, tan atónita como la de los parroquianos, se queda fija en los dos hombres cuando Daniel termina tendido en el suelo. No ha visto venir el puñetazo que le ha propinado el que todavía puede considerarse su suegro. En realidad, creo que nadie lo ha visto venir.

—¡Josep, pero ¿qué haces?! ¡Estás loco! —le grita el camarero bordeando la barra para ir a socorrer al joven.

Un hilo de sangre se desliza por su boca; le ha partido el labio.

Josep Blanch se queda quieto, apoyado en la barra, abochornado e ido. Durante un segundo me mira, pero no me ve.

—¡Vete de mi bar, maldito loco! —sigue reprendiéndole el camarero mientras ayuda a Daniel a ponerse en pie.

El padre de Silvia se toca la cabeza, está sudando, avanza un paso murmurando «lo siento» y me da un codazo al salir.

—Señor Blanch —lo llamo ya en la calle, obviando las voces que siguen llegando desde el local—. ¿Qué ha pasado?

—¿Qué haces tú aquí?

—He venido a pasar unos días.

—¿Para qué?

No contesto. Él tampoco dice nada, aunque la cara se le eriza con la barba, está pálido, con aspecto viscoso, tan irritados los ojos que su mal es visible de inmediato. Se hace imposible adivinar sus pensamientos ni sostener su mirada demasiado tiempo. Aprieta los puños y una lágrima recorre su mejilla. Ahora que lo tengo delante, tocado y hundido, no parece el tirano que asegura Jan que es, ni tampoco el hombre que entrevisté hace solo una semana.

—Hace un año que mi niña desapareció. Si ese desgraciado la hubiera sabido cuidar, Silvia seguiría con nosotros.

—Daniel no tuvo la culpa.

—¿Y tú qué sabrás? ¿Y si Daniel es el responsable de todo? —especula con la mirada fija en la puerta del restaurante.

—No sé nada, solo que…

—Escúchame, niña. No te metas donde no te llaman y piénsate mejor lo de pasar unos días aquí. Esto está lleno de monstruos.

Acto seguido, parece que es cosa de familia, me da la espalda y desaparece como un tornado.

—

JAN

—Ese hombre se está volviendo loco, Jan.

—La periodista estaba allí, lo vio todo.

—Ya. ¿La seguiste?

—Sí. Luego volvió al hostal, pero, por la cara que puso, el viejo le dijo algo que la asustó.

—Pues que se asuste y se vaya. Aquí no tiene nada que hacer.

ALEX

Durante la comida, he conocido en el salón del hostal a dos matrimonios franceses de cuarenta y tantos años muy majos. Una de las mujeres se apaña bien con el castellano y es así como nos comunicamos, por señas y palabras sueltas, al estilo indio, como le digo yo. Lástima que mañana se vayan para hacer turismo por Barcelona.

—¿Mucho calor allí? —me han preguntado.

—Uff, asfixiante —les he advertido abanicándome con la mano y bufando de manera exagerada para que me entendieran todos.

Como no tengo otra cosa mejor que hacer, por la tarde me he unido a ellos en una excursión por el bosque, y ahora estamos aquí a orillas del pantano de Santa Fe, cerca de donde una vidente me aseguró por teléfono que se hallan los restos de Silvia Blanch. Estaría loca si creyera en las visiones de mujeres que, tras leer un artículo, llaman a un periódico para dar rienda suelta a sus fantasías. Por otro lado, fe es lo que necesito si voy por la vida creyéndome Sherlock Holmes, dispuesta a resolver un caso que, a pesar de los numerosos artículos recordatorios, no parece interesarle a nadie del pueblo. Todos evitan hablar del tema, incluidos los turistas, que «algo oyeron». «Tenemos dos hijas», me han dicho los franceses con cara de pena. He pensado en Cati, la madre de Silvia, en lo anciana que parece, en las pastillas que ingiere a todas horas del día, en sus ojos siempre tristes y llorosos, en que su vida no es vida desde que su hija «se fue».

Hay quienes prefieren cerrar los ojos ante las tragedias ajenas, no vaya a ser que, por acercarse, se les contagie algo como si se tratase de un virus letal.

Los dos matrimonios se han metido en el agua. Chapotean y ríen felices, despreocupados, llenos de vida, como si volvieran a tener quince años. Yo no he venido preparada, ni siquiera metí el biquini en la maleta, pero la sola idea de que un cadáver pueda aparecer flotando en esas aguas me produce escalofríos, así que prefiero quedarme sentada en la orilla, ensuciándome los pantalones de tierra, jugando con piedras y palos de las ramas caídas. A lo lejos se oyen voces; llegan más excursionistas. El pantano se empieza a llenar de gente, me agobio y me despido de los franceses agitando la mano, diciéndoles que ya nos veremos por el hostal y que, si no es así, disfruten de Barcelona.

—¿Sabrás llegar?

—¡Tengo buena orientación! —les aseguro.

Emprendo el mismo camino por el que hemos venido. Es una buena caminata y el regreso es de subida, ahora es cuando las piernas deben poner a prueba su resistencia, pero pese a que llevo sin visitar el gimnasio tres años estoy en forma, lo demostré cuando salí corriendo de la empresa de Carlota. Además, con la cantidad de carteles que hay indicando el pueblo, es imposible perderse. Esto está chupado.

Allá voy.

El sol, ocultándose entre la línea que dibujan los árboles, arroja un fulgor incandescente. Los troncos se hienden en la luz, sus largas sombras dibujan una reja a lo largo del suelo del bosque. Cuánta belleza.

Cuando llevo quince minutos andando y bordeando los árboles, respirando aire puro y permitiendo que mis pulmones se inunden de todo el oxígeno que desprende la naturaleza viva y frondosa de la zona, oigo unos pasos detrás de mí. Miro hacia atrás; no hay nadie. Me entra la paranoia, me río, suspiro, sigo adelante, aunque no puedo desterrar la sensación de que hay alguien más por aquí. No muy lejos. Vigilando.

Una rama se quiebra en las inmediaciones. A escasos metros de mí. Ahogo un grito al oír el chasquido, pero, al ver de dónde proviene el ruido, me echo a reír. Solo ha sido una ardilla. Su cola es un estandarte marrón ondeando por encima de la maleza. Me olvido de la extraña inquietud que he sentido; la tensión de mi pecho se disuelve por el alivio, pero no por mucho tiempo. Los pasos vuelven. Oigo su eco cercano. No es una ardilla o cualquier otro habitante del bosque. Son pasos lentos pero seguros pisando la misma tierra que dejo atrás.

—¿Hay alguien?

Mi propio eco como respuesta. Luego, silencio. Nada más.

Acelero el paso, miro hacia delante concentrada en el camino, en los carteles de madera, en las flechas, en mi propia respiración agitada. También miro hacia atrás por si los pasos no han sido producto de mi imaginación y hay alguien que de verdad quiere hacerme daño. La misma persona que se encargó de hacer desaparecer a Silvia Blanch. Necesito verle la cara. Necesito saber quién es y qué pasó. Dónde está Silvia.

«Odian a los periodistas», me advirtió Dídac.

«Es mejor estar preparada para lo peor», pienso mientras sigo corriendo sin dejar de mirar atrás, hasta que tropiezo con algo, una rama, quizá, no lo sé, pero en un intento de no estamparme contra el suelo, salto, con la mala suerte de aterrizar contra el tronco de un enorme árbol que está más cerca de lo que calculo, y me golpeo fuerte en la cabeza. Duele.

Caigo, y mi visión, cual película que llega a su escena final, se funde a negro.

29 DE JULIO DE 2018

JAN

—¿Qué pretendías hacer siguiéndola por el bosque?

—Asustarla, que se largue de aquí, Jan. Invéntate algo, lo que sea. Déjale otra nota en el hostal, amenázala, pero la quiero fuera.

—Déjala en paz. Te dije que de ella me encargaba yo.

—Lo va a descubrir todo. Me da mala espina que haya vuelto.

ALEX

Lo primero que hago al abrir los ojos es palpar mi frente. Percibo un buen chichón bajo un paño mojado. Me duele la cabeza; pequeños alfileres me están perforando el cerebro y la noto embotada, como cuando te levantas después de una siesta de cinco horas. Hago un esfuerzo por mantener los ojos abiertos; los rayos del sol que entran por la ventana de enfrente me molestan.

¿Qué me ha pasado? ¿Dónde me encuentro?

Estoy tumbada en una cama con estructura de hierro forjado que cruje como un mangle viejo. Las paredes son de piedra, frías, desnudas, ni un solo cuadro, nada. A mi lado hay una mesilla de noche con una lámpara y un vaso de agua. Si no fuera porque la ventana está abierta, la parte dramática que hay en mí creería que he sido víctima de un secuestro. Huele mal, a granja, como si una vaca hubiera dejado sus heces en el suelo, que es de madera y está lleno de polvo. Junto al armario hay una puerta entreabierta; una mano se cuela por la rendija de luz. Lo primero que veo es la camiseta que lleva puesta, blanca, de algodón y manga corta. Reconozco el lobo tatuado en su brazo derecho. ¿Estoy en la cama de Jan? ¿Cómo he llegado hasta aquí? Pese a todo lo que sé de él, incluida la visión de Dídac con la nariz rota, dejo de temblar porque me hace sentir a salvo. No sé por qué.

—Menos mal que estás bien.

—¿Qué ha pasado? —pregunto.

—¿Qué hacías corriendo por el bosque sin mirar hacia delante? —pregunta sonriendo con aire burlón—. Te has caído y te has dado un buen golpe en la cabeza, igual deberíamos ir a que te viera un médico.

—No, no, no, nada de médicos. Estoy bien. Cuánto…

—Solo llevas durmiendo diez minutos. Iba a caballo, he visto cómo te has golpeado la cabeza con un árbol y, como estábamos aquí al lado, te he traído. Estás en mi casa, por si no te has dado cuenta.

—Ya, lo he supuesto. O sea, que mi primera vez montando a caballo ha sido estando inconsciente —digo con humor—. En fin, ¿y mi móvil?

—Todas tus cosas están aquí, tranquila. —Se acerca a una silla de madera que hay en la esquina y coge mi móvil y la cartera—. Se le ha desquebrajado un poco la pantalla, lo siento.

—Los protectores de pantalla no valen para nada —me quejo examinando el teléfono.

—Dejo que descanses un poco. Luego te llevo al hostal.

—Puedo levantarme.

Pero en cuanto hago el amago de incorporarme, la habitación empieza a dar vueltas y termino tumbada boca arriba como un pajarillo mal herido.

—Hostia, cómo duele.

Noto cómo brota un dolor sordo del chichón.

—No quieras hacerte la valiente, periodista. —Se sienta al borde de la cama y me toca la frente. Tiene una mano grande y áspera al tacto, fuerte, acostumbrada a trabajar en el campo—. No, no tienes fiebre. ¿Llamo a un médico? —insiste con preocupación.

—No. Solo deja que me quede tumbada cinco minutos

más y me voy —le digo forzando una sonrisa, perturbada por el contacto y la cercanía.

—No molestas, Alex. Como si estuvieras en tu casa.

—¿A qué huele?

—A granja. —Ríe—. Estás en la granja. Luego, cuando estés mejor, te la enseño.

Cuando por fin desaparece el mareo y, con cabezonería, logro levantarme de la cama, Jan, como buen guía, me enseña la granja, donde hay fauna para aburrir. Desde cerdos a caballos, gallinas, cabras, vacas, tres perros que custodian el terreno…

—Tengo cinco caballos, pero en las excursiones que se organizan en el hostal de Montse, a no ser que los huéspedes vengan hasta aquí, solo puedo llevar dos. El remolque no da para más —explica acariciando a Tristán, su preferido, el que montaba cuando me ha visto impactar contra el tronco de un árbol mientras corría por el bosque creyendo que alguien me seguía. Qué vergüenza.

Me cuenta que una vez al año, en abril, las escuelas de la comarca organizan visitas a su granja. Vienen niños de cuatro a seis años para ver a los animales y conocer cómo es el auténtico día a día trabajando aquí. Una persona que trata con niños, y además lo cuenta de una manera tan dulce a pesar de su imponente apariencia, no puede ser responsable de ninguna muerte o desaparición. Dídac sospechó que él tuvo algo que ver. La Policía así lo creyó al principio. Y luego está Carlota Riera. Mientras lo escucho, sigo devanándome los sesos: «¿Qué vio la rubia oxigenada para contarle a su compañera de trabajo que Jan tenía un lío con su prima?».

Estudio sus gestos, su manera de hablar; sonríe, pero hay algo más, algo rayano a la tristeza alrededor de sus ojos.

Al cabo de un rato, cuando el sol está más bajo y calienta menos, nos sentamos encima de una roca. Se asegura de que esté cómoda. Observamos a las gallinas, que campan a sus anchas por el corral, pasamos el rato juntos, sin que ninguno de los dos haya propuesto volver al hostal. La granja está situada en lo alto del pueblo, se accede por un caminito de tierra alejado de la poca civilización que hay en la zona. Desde aquí, las vistas son aún más increíbles. Fumamos un cigarrillo a medias; Jan bebe una cerveza fría mientras yo espero que la cafeína de mi Coca-Cola surta efecto para que se me quite el abotargamiento que me ha provocado el golpe de hace unas horas.

—Creía que alguien me seguía.

—Habrá sido algún animal, o un excursionista que quería darte un susto. No le des más importancia.

—¿Recuerdas que el año pasado le rompiste la nariz a un periodista?

—Me suena. —Frunce el ceño, le da un sorbo a la cerveza y sonríe pícaro—. Sí, fue el día que salí de comisaría. Un tío me abordó con una grabadora, se puso algo agresivo y le di un puñetazo. ¿Por qué me lo preguntas?

—Era Dídac, un compañero de la redacción. —Me río también—. Seguro que se lo merecía.

—Básicamente, me preguntó dónde había enterrado a mi prima, y me dijo que un tío con una denuncia por acoso y violación era el más sospechoso de resultar culpable y que no entendía por qué me habían dejado libre. Quiso montar un circo de una desgracia; se pasó de listo. Ese también fue el día que mis tíos dejaron de hablarme definitivamente. Era algo que se veía venir desde hacía tiempo, claro, pero aun así, jode bastante —me cuenta con la mirada perdida en el cielo anaranjado y rosado, colores del atardecer que se entremezclan mostrándonos la belleza de un placer cotidiano.

—Fui a ver a Carlota —suelto, a ver qué dice.

—¿Cómo que fuiste a verla? ¿Por qué?

No lo entiende. Claro que no lo entiende. Yo tampoco sé por qué fui a verla; un impulso, supongo. No obstante, de estar en lo cierto, Carlota ha sido clave para desvelar uno de los secretos mejor guardados de Silvia Blanch.

—Necesitaba creerte. —Me encojo de hombros, le doy una calada al cigarro e inspiro hondo—. Igual me estoy metiendo donde no me llaman, Jan, pero podríamos intentar descubrir qué le pasó a tu prima. Si sigue viva, si alguien le ha hecho algo… Una persona no puede desaparecer de la faz de la tierra así como así, no le veo ninguna lógica.

—Estuvieron buscándola durante meses y no encontraron ni una sola pista. ¿Qué te hace pensar que vas a encontrarla?

—Tú la conocías. No estoy aquí como periodista, sino como persona que quiere saber la verdad. Conocer a su madre me rompió el corazón —me sincero—. Su familia necesita una respuesta.

—Te olvidas de que yo también soy su familia, periodista. —Se le quiebra la voz.

Mira al frente con los ojos vidriosos, se está haciendo el fuerte. La tarde en la que lo conocí, su antipatía era simple fachada, una especie de protección contra mí. Ahora me parece ver al Jan de verdad, preocupado por el paradero de su prima.

—Perdona por removerlo todo. Soy una pesada —me excuso entendiendo que no debe ser fácil lidiar con una desconocida que te pregunta por tus penas—. Tengo tendencia a obsesionarme con lo que no entiendo, creo que me viene desde que era una cría. Cuando tenía ocho años, el perro de mi vecina Teresa desapareció. Era el mejor perro del mundo; pequeño, de color canela y muy peludo. Cada vez que me veía se me echaba encima y me lamía la cara haciéndome cosquillas. Total, que un día, de paseo por el parque, su dueña se confió, soltó la correa y el perro salió corriendo. Estuvo tres días desaparecido. Tres días en los que me obsesioné de tal forma que, al salir del colegio, obligaba a mi madre a dar larguísimos paseos para encontrar al perro. No tenía otra cosa que hacer; era una antisocial, sin amigas, las niñas se reían de mí porque estaba gorda y era bajita. Colgué carteles por todas partes, gritaba su nombre, Rusqui, y mostraba su foto a la gente por si podían darme alguna pista. Y, al final, apareció. Lo encontré en el mismo parque donde se había dado a la fuga, durmiendo debajo de un banco, asustado y con hambre. Esa primera experiencia me enseñó que con empeño todo se puede y que lo que creemos inalcanzable a veces lo tenemos delante. Basta con saber mirar. Desde entonces, no ceso en mis ganas de luchar por un mundo mejor. Pensarás que soy una chiflada que no tiene otra cosa que hacer que encontrar a una mujer a la que ni siquiera conoce y que, probablemente, ojalá, se haya ido por voluntad propia.

—No, no digas eso. Silvia no huyó por voluntad propia, alguien la forzó a hacerlo, no sé de qué manera, pero…

—Daniel cree que sí —lo interrumpo dispuesta a ponerlo a prueba—. Está convencido de que Silvia tenía un amante y que ha podido huir con él.

ALEX

Ha pasado una semana desde que Jan me encontró inconsciente en el bosque y me llevó a su casa. El chichón de la frente que veo cada mañana en el espejo me lo recuerda, aunque la hinchazón ya va bajando.

—¿Qué tal las vacaciones, hija? —pregunta mi madre.

—Bien, aquí, tranquila.

—Pero ¿estás sola? ¿Completamente sola?

—No, mamá, en el hostal hay gente. Sobre todo, franceses y alemanes.

—Tú no sabes hablar francés ni alemán.

—Pero el idioma de signos es internacional.

No le cuento que la mayor parte del tiempo estoy con un tipo llamado Jan, granjero, guía turístico y jinete, uniéndome a sus excursiones por el bosque, a pie o a caballo, sintiéndome una privilegiada porque me salen gratis. Jan conoce la zona a la perfección y es realmente bella. Me niego a decirle que cada tarde fumamos cigarrillos a medias y bebemos cervezas o Coca-Cola Light en su granja. Me he acostumbrado al olor y ya no temo que las gallinas me picoteen cuando recojo los huevos, el único momento del día en el que veo a Jan riéndose a gusto. Le oculto que he superado mi miedo a montar a caballo, aunque no me he subido sola a ninguno; muchos excursionistas preguntan que si soy su novia porque siempre voy detrás con él agarrada a su cintura sudorosa. Ambos nos sonrojamos, él esboza una tímida sonrisa y desvía la mirada lejos de mí. Me pregunto qué nos pasa y por qué estamos empezando a tener la necesidad imperiosa de pasar tiempo juntos. Por qué se me acelera el pulso cada vez que me roza la mano o me entra un cosquilleo en el estómago cuando sé que lo voy a ver. No se me da bien tener secretos y siempre he considerado a mi madre mi mejor confidente, pero no puedo revelarle que Jan es el primo de la mujer desaparecida hace un año. Me acribillaría a preguntas para las que no tengo respuestas. Se preocuparía porque seguramente recordaría que fue el principal sospechoso.

A pesar de todo, sé que no le tengo miedo. A estas alturas las habladurías me dan igual, aunque a veces me pregunto si no sería conveniente tenerlas en cuenta. Desconozco quién le pudo hacer daño a Silvia el verano pasado, me siento confusa respecto al rumor de que Jan fuera su amante, pero sé que alguien como él no pudo hacerle daño. La quería. En una ocasión me dijo que la quería y no vi un atisbo romántico en su confesión. Eso quiero creer, a lo mejor lo estoy idealizando, quién sabe. Las apariencias engañan y, a veces, ofuscados, vemos lo que deseamos ver, obviando lo que no tenemos intención de querer saber.

¿Quién soy yo para juzgar? El que esté libre de pecado que tire la primera piedra.

—Hoy podríamos salir —propone Jan.

—¿Adónde? No hay muchos sitios de marcha por aquí —me río.

—En media hora nos plantamos en Sant Celoni; conozco un sitio que te va a gustar. Siempre está animado y en verano abren la terraza.

—Me apetece. ¿Me llevas al hostal y me cambio de ropa? Adelaida me ha dejado hecha un desastre.

Adelaida es una de las vacas de Jan a la que he estado or-
deñando hace una hora.

—Claro.

«No, si al final las videntes habrán acertado en algo. Voy
a acabar enamorada hasta las trancas de este hombre», re-
flexiono mirándolo con el rabillo del ojo cuando el crepús-
culo roba los últimos rayos de sol que aún alumbran las
montañas que rodean Montseny.

JAN

—¿Y ahora dónde vais?

—A un local de copas de Sant Celoni, Montse, que de todo te tienes que enterar...

—Ten cuidado con Alex, Jan. Te está utilizando.

—No digas tonterías.

—Bueno, bueno..., luego no me digas que no te lo advertí. Te utiliza porque eres el primo de Silvia, solo por eso. Quiere enterarse de cosas, cosas escabrosas que sé que hay aunque me las niegues, y luego, cuando ya no le intereses, te pegará la patada.

—¿Cosas escabrosas? Montse, por favor, no inventes.

ALEX

El todoterreno de Jan está más sucio por dentro que por fuera, que ya es mucho decir. De lejos no distingues si es negro o azul oscuro. Es azul oscuro. Dentro reina el caos. He tenido que empujar algunos objetos no identificados con los pies para hacerme sitio. El salpicadero está repleto de paquetes de tabaco, y los compartimentos, llenos de vasos de café de plástico.

Se disculpa, sonríe deleitándome con esos hoyuelos irresistibles que aparecen en sus mejillas, y nos ponemos en marcha en dirección a Sant Celoni. Son las once de la noche, hemos cenado en el hostal, y yo, que no venía preparada para salir de fiesta, me he puesto lo más decente que he encontrado en la maleta: unos tejanos ajustados y una blusa negra de tirantes. Cuando he bajado, a Jan le ha cambiado la cara, pero no quiero hacerme ilusiones. Es un hombre roto, me inquieta aún más cuando pasamos por el lugar donde se quedó el coche de su prima; está oscuro y no se ve, pero su fotografía sigue colgada en el poste. Aprieta la mandíbula, sigue adelante, centrado en la carretera, en sus curvas cerradas. El viento entra por la ventanilla despeinándome el cabello. Es fresco y huele a tierra húmeda. A mitad de camino, Jan frena un poco al ver que sube otro coche con las luces largas. No las apaga. Él abre mucho los ojos, como si quisiera distinguir de quién se trata, y alterna ráfagas de las luces del todoterreno: cortas, largas, cortas, largas... Nos cruzamos con el otro coche y Jan murmura: «Cabrón».

—¿Quién era?

—Artur.

—¿El hermano de Cati, tu tía?

—Ese mismo.

No había vuelto a acordarme de él. Apenas estuvo en casa de los Blanch cinco minutos cuando los entrevisté. Era como una sombra que sabes que está ahí, pero que pasa desapercibida. Recuerdo lo incómodo y desubicado que parecía, se largó como si tuviera prisa por llegar a otra parte. Mi presencia, lo supe entonces, no era de su agrado.

—Lo vi cuando fui a hablar con tus tíos.

—¿Estaba en casa? —se sorprende.

—Sí, pero no llegué ni a hablar con él. ¿Qué relación tenía con Silvia, Jan? ¿Se llevaban bien?

—Sí, estaban muy unidos —contesta irritado.

Me vienen a la mente las fotografías en las que aparece Silvia de niña y, años más tarde, como una guapa adolescente, con su tío Artur, que siempre la rodeaba protector con sus brazos.

—¿Está casado, tiene hijos...? —me intereso. Jan niega con la cabeza. Debo suponer entonces que es soltero—. No parece caerte muy bien... —murmuro.

Por la cara que pone, su cabeza parece estar funcionando a mil por hora; Jan no contesta, se encierra en su propio mundo, algo que ya he visto antes, por lo que decido no insistir y respetar su silencio que, en esta ocasión, me inquieta.

Aparcamos el todoterreno frente al hospital de Sant Celoni y nos ponemos a caminar en silencio calle abajo. Jan señala un bar de copas; «Saiko Night Club», leo en el letrero de neón. Entramos. El aire está cargado de alcohol y calor, la música suena fuerte, vibra por los altavoces y se mezcla con las oleadas de risas juveniles. Nos dirigimos a la barra, donde Jan saluda al camarero, un hombre de unos treinta y tantos años con la cabeza rasurada y una hilera de pendientes por encima de la ceja.

—Jan, tío, ¡cuánto tiempo! Me alegra ver que estás bien.

—Ella es Alex, una amiga —me presenta.

—Encantado, Alex. Quim.

—Hola, Quim —saludo observando el ambiente del local.

—¿Qué os pongo?

—Un mojito —pido yo.

—Una cerveza para mí.

Jan me sonríe. Se mete las manos en los bolsillos del tejano, gesto que hace cada vez que se siente fuera de lugar, su cuerpo está tenso como un arco. Igual que yo, como si nos imitáramos mutuamente, mira a su alrededor, pero no para contemplar el ambiente animado y festivo, sino como si buscara a alguien. Parece preocupado.

—Tranquilo —le dice el camarero mientras machaca la menta de mi mojito—. Hace tiempo que no vienen por aquí.

—¿Quiénes? —pregunto a Jan.

—Unos tíos con los que tuve problemas.

—¿Por eso estás tan tenso?

—No estoy tenso. Estoy bien, de verdad. —Da un sorbo a la cerveza, se muerde el labio inferior, reprimiendo una sonrisa que me deja sin respiración. Espera a que el camarero termine de preparar mi mojito y propone—: ¿Vamos a la terraza?

Jan, pillándome desprevenida, me coge de la mano y, dando empujones para apartar a la gente, me arrastra hasta la terraza, iluminada con bombillas sostenidas de un extremo al otro por las ramas de los árboles. Nos acomodamos en los únicos asientos que quedan libres, unos pufs que te amodorran, «a ver quién me levanta luego», bromeo. De fondo suena una bachata, la música es comercial, seguro que enseguida sonará Bisbal. Jan me mira como queriendo adivinar qué estoy pensando. Me pone nerviosa, me intimida.

—¿Silvia vino alguna vez aquí? —pregunto.

—¿Podemos dejar de hablar de mi prima aunque sea solo por un momento? —pregunta molesto.

—Perdona.

—A lo mejor voy a tener que darle la razón a Montse.

—¿En qué?

—En que estás conmigo solo porque soy el primo de Silvia.

«¿Desde cuándo *estamos*?», me callo. El pensamiento me atraviesa como un silbido provocando que se me enderece la espalda como un choque de platillos.

—¿Eso ha dicho?

—Sí. Que quieres sacarme trapos sucios sobre mi prima y que, cuando ya no te interese, me darás la patada.

—Eso no es verdad.

—Entonces ¿qué estamos haciendo?

«Eso mismo me pregunto yo», pienso cuando de repente noto que la luz cambia a nuestro alrededor: una grisura ensombrece la terraza, como las nubes al tapar el sol.

—¿Qué haces tú aquí?

Se avecina una tormenta.

La voz de un tío alto y gordo, con los ojos negros como los del demonio, interrumpe nuestra extraña conversación. Si no fuera por su aspecto y su tono amenazante, sumado a los otros dos hombres con aspecto de matones que lo custodian detrás, casi tendría que agradecerle la interrupción.

—Joder —farfulla Jan con una mirada opaca, como si hubieran proyectado una sombra sobre sus ojos. Se pellizca el puente de la nariz con cara de circunstancias—. Vámonos de aquí.

—Tú —me señala el gordo—, ten cuidado con este tío.

—¿Por qué? —me atrevo a preguntarle mientras me levanto, sintiéndome inmensamente chiquitita cuando me sitúo frente a él.

—Es un puto acosador.

Jan hace amago de irse, pero en lugar de ignorar la acusación del gordo, se abalanza contra él. El camarero, que supongo que se refería a estos tipos cuando ha dicho que hace tiempo que no vienen por aquí, corre hacia ellos, trata de separarlos, pero el gordo y Jan son más fuertes y no van a dar su brazo a torcer. Me llevo las manos a la boca; nunca había visto tanta violencia en persona. Un puñetazo, otro, ya no sé quién los recibe; los otros dos se meten en la pelea, son demasiados para Jan, que acaba retirándose levantando las manos en señal de rendición, mirándome con vergüenza e insistiendo en que nos larguemos de aquí. Tiene el ojo hinchado, una brecha en la frente y le sale sangre por la nariz. Me voy con él, ahora soy yo la que lo coge de la mano y, de la misma manera que hemos llegado hace escasos minutos, salimos del local a codazos para que la gente nos abra paso mientras, ahora sí, suena una canción de Bisbal.

Ya en la calle, Jan suelta el aire, como si lo hubiera retenido demasiado tiempo y fuera a explotar. Las lágrimas deben estar ardiéndole en el fondo de la garganta. Con las manos entrelazadas y sin decir nada, emprendemos el camino calle arriba. Los ojos llorosos, la vergüenza reflejada en su mirada, la sangre de la brecha de la frente se entremezcla con la de la nariz; debe dolerle, pero no se queja. Puede que esté acostumbrado a los golpes, a las peleas, a los insultos de quienes creen que es un mal tipo. Pero yo creo en él. Jan Blanch no violó a Carlota Riera, y ella, maquiavélica a causa de su sed de venganza por haber sido rechazada, ha permitido que estigmaticen a un inocente durante cinco años.

También dudo mucho, aunque fueran amantes y tuvieran una relación que debían mantener oculta, que le hiciera algo a su prima.

—Ey, ey…, para. —Lo detengo al llegar donde ha aparcado el todoterreno. Señalo el hospital que tenemos enfrente; Jan niega con la cabeza—. Por lo menos deja que te vean.

—Estoy bien.

—Conduzco yo —le digo.

—No. Conozco mejor la carretera y ahora de noche es peligroso. Se cruzan muchos animales, jabalís…, las curvas son cerradas y…

—Llora. Llora si lo necesitas.

—Tú me crees, ¿verdad? —me pregunta con la voz quebrada, aunque manteniendo las distancias, cuando a mí lo que me gustaría ahora mismo es darle un abrazo.

—Te creo.

—Es todo cuanto necesito saber.

—Te han dejado la cara guapa.

—La periodista estaba conmigo.

—¿Y qué?

—Que he quedado como un idiota. Le pediré que se vaya. Está obsesionada con Silvia, y sí, tenías razón. Puede dar
problemas.

—¿No me vas a dejar darle otro susto de los míos?

—Como le hagas algo, te mato.

—Lo que nos faltaba. ¿No te habrás enamorado?

—Vete a la mierda.

—¿Quién viene por ahí?

—Es su coche. Vete, sal por la parte de atrás. Que no te vea.

—Mañana la quiero fuera del pueblo, ¿entendido?

ALEX

Apenas he dormido. Si no fuera porque el café del hostal es tremendamente fuerte, se me cerrarían los párpados de golpe. No me saco a Jan de la cabeza. Sufro por él. Por Silvia, por Daniel, por sus padres…, por todos.

¿Qué me está pasando si no los conozco de nada?

¿Por qué me obsesiono de esta forma?

«Tú y tu manía de querer arreglar el mundo», dice siempre mi madre poniendo los ojos en blanco y mirando al techo, como si rezara para que una especie de milagro me hiciera cambiar.

> **Alex 11:20**
> ¿Ya has llegado a Barcelona?

Dídac 11:21
Ni me hables. Tengo depresión posvacacional.
Estoy en la redacción, ¿qué quieres?

> **Alex 11:21**
> Yo en Montseny.

Dídac 11:22
¿Qué haces ahí?

«¿Y qué motivos me das para que desconfíe de él?»,
querría escribirle. Pero sus sospechas no tienen funda-
mento, Dídac no sabe la verdad. Me molesta y me duele
que sospeche de Jan, aunque a la vez me parece una tontería, como si fuera algo mío, como si también me estuviera atacando a mí. Me hubiera gustado llamarlo y decirle
que él no movió un solo dedo para averiguar si la denuncia
de Carlota Riera era falsa y que yo sí. Yo fui a verla a su
puesto de trabajo, las redes sociales te dan la información
que necesitas cuando a la persona en cuestión no le importa dar detalles de su vida. Su compañera me lo confirmó.
La denuncia de hace cinco años era falsa y solo sirvió para
destrozarlo.

—¿Qué sabrás tú, Dídac? —mascullo dejando el móvil
encima de la cama.

Tengo que ir a ver cómo está. Si tiene el ojo menos hinchado, si la brecha en la frente no es tan grave como parecía o si no tiene ningún hueso de la nariz roto, tal y como
me aseguró antes de dejarme en la puerta del hostal y des-
pedirse de mí con un seco: «Buenas noches».

La sangre es muy escandalosa, pero, si no sufrió ningún
mareo u otro percance mientras conducía, eso significa que
todo iba bien. Aun así, al tumbarme en la cama, me preocu-

pé. Me contuve muchísimo para no mandarle un wasap de madrugada.

Son las ocho de la tarde. Después de darme una ducha he bajado hasta la terraza del hostal. Bebo de un trago una Coca-Cola Light, apuro al máximo el cigarrillo y voy hasta mi coche. Recorro el camino de tierra, los escasos tres kilómetros que hay desde el hostal hasta la granja. Cuando llego, veo a Jan solo, sentado encima de la roca donde hemos contemplado el atardecer a lo largo de estos días de verano. Me va a dar pena irme de aquí. Pero no estoy tan lejos. De golpe, me sorprendo pensando que, si Silvia y Daniel trabajaban en Barcelona y hacían cuatro viajes en coche a diario, yo también podría hacerlo.

—¿Qué tal? —le pregunto sentándome a su lado.

Tiene mal aspecto: no se ha afeitado y lleva una camiseta de manga corta empapada de sudor.

—Ya te dije que la brecha no era para tanto, ¿ves? Un corte de nada… —murmura entornando los ojos.

—Tienes el ojo hinchado. La nariz también, un poco… —digo sosteniéndolo de la barbilla cariñosamente, casi de manera inconsciente, y mirando cada herida con atención.

—Ya no duele —dice manteniendo una expresión estática.

—Me alegro.

—Lo siento.

—¿Por qué?

Bañado por la pátina dorada del sol del atardecer como si de una visión se tratara, sus ojos color miel adquieren un tono verdoso precioso. Me esfuerzo en negar la sensación de pesadez que noto en la boca del estómago al percibir que lo está pasando tan mal. Lo primero que te enseñan cuando empiezas a estudiar la carrera de Periodismo es a utilizar la insensibilidad como mecanismo de defensa, estableciendo una distancia intangible pero abismal entre las personas involucradas en un suceso y el periodista; sin embargo, lo que no te dicen es que eso tiene más efectos secundarios que la quimioterapia. Tantas pérdidas no lloradas, tantos duelos no elaborados, tanta tristeza que no encuentra salida. Tanto dolor abortado. He pecado de haberme involucrado demasiado en esta historia, en el «suceso».

Estoy perdida.

—Por lo de anoche —contesta reflexivo al cabo de un rato—. La gente no me quiere, Alex. Debería empezar a asumirlo.

—Yo te quiero.

—¿Qué has dicho?

—Nada, no he dicho nada. Se me está haciendo tarde.

—Acabas de llegar.

—Ya, pero tengo cosas que hacer.

—Estás de vacaciones —ríe.

Trago saliva, me pongo nerviosa, y cuando me pongo nerviosa no atino, así que me levanto y me alejo caminando rápido hasta mi coche. Noto la mirada de Jan, me arde en la nuca. No tardo ni dos segundos en arrancar y salir de la granja como alma que lleva el diablo.

«Lo hubiera besado», pienso atolondrada, sentada como una borracha en la barra de L'Estanc, con la mirada fija en mi tercer botellín de cerveza. La cortinilla metálica de la entrada suena cada vez que entra un cliente; estoy cansada de mirar en dirección a la puerta y, justo cuando no lo hago y me dedico a leer los ingredientes de la cerveza alemana, una mano me toca el brazo.

—Daniel —lo saludo—. ¿Qué tal?

Aún tiene la marca en el labio, una costra que debía ser más grande hace unos días, del puñetazo que le propinó Josep Blanch la otra noche. ¿Qué le pasa a la gente de aquí? En Barcelona, con todo el aire contaminante que nos va a matar a todos, lo entendería, pero ¿qué parte del cerebro adquiere esa mala leche en un lugar donde el único hedor proviene de las heces de los animales o de los campos con estiércol?

—Me voy del pueblo —anuncia cogiendo el botellín de cerveza que el camarero le ha colocado delante sin necesidad de preguntar—. No puedo más. Por cierto, ¿tú qué haces aquí?

—He venido a pasar unos días de vacaciones.

—¿Tanto te gustó esto?

—Ya no estoy aquí en calidad de periodista —le aclaro con la intención, si es posible, de que se abra más a mí—. Quiero saber qué pasó, Daniel.

—¿Y qué te hace creer que vas a descubrir algo si nadie, ni siquiera la Policía, lo ha conseguido en un año? —Se le escapa una risa frívola.

—¿Nunca has escuchado que las desapariciones son moneda corriente para los periodistas? Todas tienen una explicación. Casi siempre. Quiero saber qué le pasó a Silvia, solo eso —contesto con tranquilidad, aunque me temo que las prioridades están cambiando; si estoy en este pueblo, ya no es tanto por Silvia como por Jan.

—Ya te lo dije —susurra Daniel acercándose a mí, como si hoy también estuviera ebrio—. Silvia tenía secretos que ni siquiera yo llegué a conocer, y eso que vivía con ella. Cuando pasan estas cosas, te das cuenta de que conocemos muy poco a las personas que nos rodean, ¿no te parece? Solo sabemos lo que nos muestran, lo que quieren que veamos…

—Le da un trago a la cerveza, suelta un resoplido y chasquea la lengua—. Y a veces, ni siquiera nada de eso es verdad.

—¿Por qué te pegó su padre?

—Porque después de la cantidad de errores que la Policía cometió, sin conseguir una sola prueba verosímil, necesita pagar su frustración con alguien y me ha tocado a mí por no haber sabido proteger a su hija. Ese fue su argumento. Ya te dije que Silvia vivía sometida a mucha presión. Su padre es un tipo agresivo. Martí —señala al camarero— lo conoce bien y, desde que me dio el puñetazo, no lo deja entrar en el bar. Siempre fue problemático, pero ahora…, ahora tiene atemorizado a medio pueblo y a su mujer también. La viste. Está deshecha. Ella tampoco puede más.

—¿La maltrata?

—No, aseguraría que a ella nunca la ha llegado a tocar, pero a Silvia sí. Y a Jan, su primo. ¿Lo conoces? En fin, no…, no puedo hablar del tema. Son solo habladurías, cosas que se dicen, no es algo que haya visto con mis propios ojos.

«A Silvia y a Jan. ¿Sabe Josep lo que había entre ellos? ¿Los descubrió y de ahí proviene tanta ira? ¿Por eso dejaron de hablarse?»

—¿Josep Blanch llegó a pegar a Silvia y a Jan? —pregunto para asegurarme de que lo he entendido bien.

Daniel asiente sutilmente mirando a su alrededor.

—Deja que te invite a la cerveza. Ha sido un placer conocerte, Alex. Me gustó tu artículo y te agradezco que no dijeras nada de lo que hablamos. Tengo que dejar de beber…

—Una promesa es una promesa.

—No para todos. Cuando te fuiste de mi casa me arrepentí. Me dije: «¿Por qué le vas contando intimidades a una periodista a la que no conoces de nada?». Pensé que lo usarías en el artículo, pero me has demostrado que eres buena gente, así que gracias.

—¿Y dónde te vas?

—Me voy unos meses a Barcelona. Mi primo ha roto con la novia y me ha propuesto que vaya a vivir con él para compartir gastos. Mis padres me han convencido de que es lo mejor, que aquí ya no puedo hacer nada y voy a terminar volviéndome loco. Supongo que tienen miedo de Josep. —Baja la mirada, apoya la mano en la barra con fuerza y emite un sollozo apenas perceptible para el resto de los clientes del bar—. Dime que todo irá bien. Aunque no te conozca y me mientas, necesito que me digas que…

—Todo irá bien, Daniel.

Solemos tomarnos en serio las palabras de aquellos a quienes no conocemos porque no tememos que nos juzguen y nos da igual lo que piensen luego. Total, puede que no volvamos a verlos nunca más. Pero con las personas que queremos es más complejo. Ellos saben quiénes somos, en ocasiones conocen nuestras inquietudes y puntos débiles; necesitamos que se sientan orgullosos de nosotros y el miedo a fallarles nos paraliza. Quizá Josep Blanch sea más responsable de la desaparición de su hija de lo que nadie ha podido llegar a imaginar a lo largo de este año. Quizá sí huyera por voluntad propia, para perder de vista a un padre que solo se ha limitado a aparentar un dolor que no siente. Ahora mismo me es difícil pensar de forma racional, de forma lineal. El tiempo da vueltas. La expresión de Daniel parece endurecerse cuando sale del bar.

Me quedo un rato más sentada a la barra pensando en Josep Blanch. Pido otra cerveza, aunque no debería, noto cómo me estoy empezando a achispar. Miro al suelo, al punto exacto donde Daniel cayó tras ser golpeado por el padre de Silvia. Lo imagino años atrás haciendo lo mismo con su hija o con Jan. Me estremezco. Me inunda una ira que desconocía en mí por Silvia, a la que nunca he llegado a conocer, y por Jan, que me intriga como nunca antes ha conseguido hacerlo nadie. No. No puede ser, no podían estar juntos, algo no me cuadra.

¿Por qué estos celos de repente?

¿Por qué el deseo de que nada de lo que me dijera Elia, la compañera de trabajo de Carlota, sea real?

Una voz interior, coherente y precavida, me advierte que me largue de este pueblo y olvide la causa perdida en la que me he querido entrometer sin que nadie me haya llamado. No soy bien recibida en esta historia sin resolver, lo sé. En realidad, no soy nadie.

Cojo el móvil. Tener la pantalla resquebrajada es un incordio, pero no me impide seguir viendo lo único que queda de Silvia: sus fotografías en la red. Aparecen las de siempre, las que he visto mil veces, las que se hicieron públicas, algunas que ella misma había colgado en redes sociales, no muchas, pero suficientes para saber que era una mujer inquietantemente perfecta.

TIEMPO ATRÁS
—

SILVIA

El tiempo no lo cura todo.

Me sentía como un insecto adormecido por el veneno de una araña, atrapada en su tela, somnolienta y a merced del caprichoso apetito de su anfitriona. Su mirada provocaba siempre ese efecto; te capturaba sin dejar tregua para la más cobarde de las huidas.

Mi padre cambió desde que su hermano y su cuñada murieron en aquel accidente de coche, y Jan, mi primo, un chico perdido de solo dieciséis años —la peor época para perder a unos padres—, se instaló en casa. Éramos la única familia que tenía. Día a día veía cómo se iba rompiendo y, aunque la gente dice que el tiempo lo cura todo, no es verdad. Un plato que se ha roto en mil pedazos no se puede arreglar. Lo puedes pegar, pero siempre va a tener marcas que te hacen recordar que un día se rompió. Así es como yo veía a Jan. Mi padre se volvió más controlador. Le molestaba todo, como si la presencia de uno más en casa lo atormentara. Durante meses, a la hora de la cena, yo, que solo tenía diez años, observaba cómo lo miraba. Todo lo que él hacía le fastidiaba, ni masticar podía sin que mi padre emitiera un chasquido de disgusto y, sin hacer un esfuerzo por contenerse, solía gritarle de muy malas maneras, sin importarle quién estuviera delante. Lo avergonzaba a todas horas,

en cualquier lugar. Yo, que por aquel entonces de tan enamorada que estaba me había vuelto loca, y la locura infantil
suele ser la más peligrosa, le reprendía su actitud pese a las
represalias, que dolían más que las bofetadas. Cada noche
rezaba para que se muriera, sobre todo cuando, de madrugada, el ruido de la puerta de la entrada me desvelaba. Jan
solía escaparse de casa por las noches; nunca sabíamos dónde se metía, no lo descubriría hasta años más tarde, y saberlo me rompió el corazón. Atenta a sus pasos sigilosos hacia
su habitación, que quedaba frente a la mía, me tapaba los
oídos cuando se les acoplaban otros, los de mi padre. Era
entonces cuando empezaba la pesadilla. Los sollozos de Jan,
los gritos controlados de mi padre, como si se mordiera los
nudillos para no gritar tan fuerte, y el cinturón. Aquel maldito cinturón que servía de látigo golpeando, una y otra vez,
una y otra vez, la espalda de mi primo.

—Montse, ¿está Alex por aquí?

—No, pero puedo decirte dónde está. Y además me han dicho que la han visto muy bien acompañada…

—¿Con quién?

—Con Daniel. Qué cosas, ¿no? La periodista juntándose solo con quien le interesa.

—¿Dónde la han visto?

—En L'Estanc. También me han contado que llevaba cinco o seis cervezas, podrías ir a buscarla, no vaya a ser que se pierda. Anda, mira. No hará falta que vayas. Por ahí llega con tu prima.

ALEX

Veo doble. Tampoco me he pasado tanto con la cerveza alemana como para ir tan torcida, no lo entiendo. Debe ser que no estoy acostumbrada a beber y con poco alcohol que ingiera ya me achispo. Qué poco aguante.

Al salir de L'Estanc, tratando de ubicarme ante el color azul eléctrico de un cielo que advierte que la noche está al caer, veo a una mujer que me resulta conocida. Me quedo mirándola durante unos segundos, creo que tantos que ella lo percibe pese a que va andando de espaldas a mí. Cristina Blanch, en compañía de su atractivo marido, se da la vuelta y, al verme, se acerca para preguntarme qué sigo haciendo en Montseny.

—De vacaciones —contesto esforzándome por sostenerme en pie. Pero entonces las rodillas me juegan una mala pasada. Se ponen a temblar y me caigo raspándome la piel de la pierna con el suelo de cemento de la plaza. Escuece.

—Creo que está borracha —susurra el marido.

—Es la periodista —le dice Cristina—. ¿Dónde te alojas?

—Montserrat —balbuceo.

—Hostal Montserrat. Sí, está cerca. Ayúdame, Marc. Alex, vamos a llevarte hasta allí.

Por el camino, en medio del altísimo matrimonio que me saca por lo menos cuatro cabezas, asiento agradecida cuando Cristina me comenta que el artículo no estaba nada mal. No dice que le haya gustado en exceso, pero después de haber visto en la entrevista cómo se las gasta, creo que el comentario es positivo.

—Y ya ha pasado un año —suspira tristemente.

—No te atormentes —le aconseja Marc con voz grave.

Seguimos caminando. Se me enciende la bombilla. Anoche nos cruzamos con el coche de Artur, el tío de la mujer que me sostiene por el lado izquierdo. Recuerdo cómo le cambió la cara a Jan. «Cabrón», le dijo. Eso es. «Cabrón.» Y, no sé cómo, la palabra se escapa de mi boca.

—¿Cómo dices? —pregunta Cristina.

—Cabrón —repito.

Se detienen. Me miran. Por un momento, creo que me van a soltar y a dejar aquí tirada en mitad de la calle, pero, en lugar de eso, se echan a reír y seguimos andando sin prisas. Me gustaría ser capaz de vocalizar mejor para preguntarle a Cristina sobre su tío Artur, pero no tengo fuerzas. Creo que estoy siendo arrastrada por un carruaje con dos burros, pero me callo. Mejor no hablar. Nada de lo que pudiese decir ahora o preguntar tendría sentido.

—Por ahí llega con tu prima.

La voz de Montse suena a lo lejos. Su cara está distorsionada. Sus ojos saltones como los de un sapo tras las gafas; creo que le han salido más arrugas y más canas. Jan, en el mostrador de recepción con los brazos en jarra, me mira frunciendo el ceño, aunque, en realidad, sería más acertado decir que está mirando a su prima y a su marido. Ay, demonios, ¿cómo se llama? Marc. Eso es. Se llama Marc. Y es bastante guapo, pero teniendo a su mujer al lado, prefiero casi ni mirarlo.

Llegamos al mostrador. Hay tan solo cinco pasos desde la entrada hasta donde se pasa media vida Montse, pero se me hace más largo que el Camino de Santiago. Con la espalda apoyada en el primer mueble que tengo al alcance, me convierto en una mera espectadora de lo que ocurre a continuación. El matrimonio frente a Jan. No parecen llevarse nada bien.

—Tú por aquí —suelta Cristina con desdén.

—Vámonos —sugiere Marc cogiendo a su mujer del brazo.

—No, no quiero irme. Quiero hablar con él.

—¿Qué quieres, Cristina? —murmura Jan mirando al suelo. Está cansado.

—¿Qué te han hecho en la cara? ¿Otro ajuste de cuentas de los tuyos? ¿Otro acoso? ¿Otra violación?

—Cristina, por favor —interviene Montse nerviosa—. En mi hostal no quiero peleas —añade incómoda mirando a su alrededor.

No hay nadie más, aunque se oyen voces que provienen de la terraza. Todos los huéspedes están en el bar.

Cristina es tan alta que tiene que mirar hacia abajo para enfrentarse a los ojos de Jan que, a su vez, me mira de reojo, como anoche, con cara de circunstancias, de vergüenza, de no saber qué hacer conmigo.

—Todo se acaba descubriendo, Jan. Todo —lo amenaza.

—Vámonos —repite el marido, esta vez más autoritario.

—Alex, café con sal. Verás cómo se te pasa la borrachera de golpe —me aconseja Cristina.

Y a mí, de los nervios, me da por reír.

—Acompáñala a la habitación —le dice Montse a Jan cuando me amodorro en las escaleras observando cómo el matrimonio de gigantes sale por la puerta.

—Puedo ir sola.

—Vamos, Alex —Jan se acerca a mí. Me dedica una media sonrisa, es triste, como siempre, se le achina un poco de más el ojo que tiene hinchado, y me coge de la mano dirigiéndome hasta el claustrofóbico ascensor, donde el mareo va a más.

Termino con la cabeza apoyada en su pecho. Huele genial.

Al llegar al pasillo de *El resplandor,* nos dirigimos a la habitación número 13. Jan pregunta por la llave, le señalo mi bolso, hunde la mano en él y la coge. Delicadamente, desliza su mano por mi espalda hasta colocarla en la cintura y me lleva hasta la cama. Mi mente, lujuriosa, juega a inventar escenas en las que posiblemente Jan también esté pensando. O no. Puede que aquí la única enferma sea yo.

Me acuesta con cuidado en la cama, me descalza y abre un poco la ventana para ventilar la habitación.

—Has estado fumando aquí dentro. Se nota. —Se queda un rato junto a la ventana—. Se avecina una tormenta.

—Imposible, el cielo está despejado, se ven las estrellas —rebato con voz gangosa. Debo dar pena.

—Tú descansa.

—Ven, siéntate un ratito conmigo.

Él duda, pero me hace caso. Nos miramos durante un rato. Mi mano, como si no tuviera control sobre ella, se posa en su espalda. Va más allá, le levanto la camiseta y acaricio su piel, acto que él rechaza y, de inmediato, se levanta. Sé el porqué. He notado protuberancias, cicatrices pasadas, como si alguien le hubiera atizado con un látigo. No las he visto, solo las he intuido, y me he puesto a llorar.

—Nos vemos —dice seguramente con un nudo en la garganta por cómo le tiembla el mentón.

Se aleja de mí sin dejar de mirarme. Lo último que recuerdo antes de caer en un profundo sueño es el estruendo de la puerta al cerrarse.

No sé qué hora de la madrugada debe ser. Abro los ojos. Me duele la cabeza. Entre la borrachera y el chichón de hace una semana, voy a acabar con una conmoción cerebral, demonios. Maldita cerveza alemana; nunca más. Miro por la ventana, ya no se ven las estrellas y un enorme nubarrón gris oculta la luna, cuya luz se convierte solo en una intuición. Jan tenía razón. Me asomo a la ventana, la brisa fresca me acaricia la cara. En la luz espectral bajo las nubes, las casas del pueblo, a lo lejos, se ven tan añejas y siniestras como el cielo, que parece furioso. De pronto, un relámpago lo inunda todo, seguido casi de inmediato por un poderoso trueno. Las luces se apagan. Mientras protesto entre dientes, busco a tientas mi móvil. Los cortes de luz deben ser frecuentes en esta zona montañosa. Cuando lo encuentro, en el fondo del bolso que Jan ha dejado a los pies de la cama, me doy cuenta de que tengo un wasap de Dídac pendiente de leer desde hace cinco horas.

Dídac 21:50
¿Has visto qué vídeo se ha hecho viral en Internet?

141

6 DE AGOSTO DE 2018
—

JAN

—Te lo dije, Jan. Te advertí que no salieras del pueblo. No puedes exponerte así.

—No pensé que nadie estuviera grabando, joder. ¿Qué dicen?

—Han sacado el tema de Silvia. Que fuiste sospechoso desde el primer momento por culpa de lo que pasó con Carlota, que por qué te dejaron libre, que eres violento, que…

—Para. No quiero ni oírlo.

—En el vídeo se ve como eres tú quien inicia la pelea. No me extrañaría nada que te vinieran a hacer una visita. ¿En qué cojones estabas pensando?

—Lo siento.

—Tengo que colgar. Te dejaré el dinero donde siempre.

ALEX

La tormenta provoca que vea a trompicones el vídeo de tres minutos que se ha hecho viral en redes sociales y que ya tiene más de un millón de reproducciones en YouTube en menos de veinticuatro horas. Los comentarios me producen dolor de estómago, porque nada de lo que veo es tal y como lo recuerdo. Lo provocaron, la pelea en el Saiko Night Club no la empezó él. Jan solo cayó en la trampa sin saber que algún móvil de los que había por allí lo estaba grabando.

«Es el asesino de Silvia Blanch.»

«Es violento. Es chusma. A la cárcel.»

«Siempre creí que el primo le había hecho algo. ¿Cómo es posible que lo dejaran libre?»

«Que lo detengan. Es un peligro para la sociedad.»

«Violador. Acosador. Asqueroso.»

«Fue él. Él mató a su prima.»

La gente es muy valiente a la hora de comentar y juzgar sin pensar en el daño que pueden causar, bajo un seudónimo virtual o un perfil de Facebook. Al fin y al cabo, si todos opinan lo mismo, ¿qué más da?

Si Jan lo ha visto, debe estar destrozado.

Me paso el día aburrida en la habitación del hostal esperando a que amaine un poco la tempestad. Cuando tomo la decisión de salir, ya es de noche, la luz no ha vuelto, llueve, pero no puedo esperar más para ver cómo está Jan. Decidida, bajo a la recepción, también a oscuras, y voy directa hasta mi coche. Conduzco con tranquilidad, suena una canción antigua de Amaral, la de *No quedan días de verano*, muy apropiada para la ocasión, y, además, me ayuda a no pensar en el molesto ruido del parabrisas. *Ñic ñic ñic...*, es insoportable. El pánico en mi pecho aumenta con cada trueno. La cara pegada al volante y los hombros encogidos para centrarme en el camino sin pavimentar, lleno de baches fangosos que se notan más con esta lluvia. Me da miedo que las ruedas se desestabilicen en la curva empinada que da acceso a la granja, por lo que, de un volantazo rápido y cerrando los ojos para no ver las consecuencias, llego a la entrada con el motor recalentado por haber pisado de más el acelerador.

—¿Por qué cierras los ojos cada vez que subes esta cuesta? —Jan se ríe apareciendo de repente junto a la ventanilla del coche, empapado bajo la lluvia.

—Lo paso fatal. Siempre creo que el coche se va a ir hacia atrás.

—Entra, no quiero que pilles una neumonía.

Caballeroso, me coge de la mano y echamos a correr hacia el interior de su casa. Huele a tierra mojada, a madera, a café y tostadas. Ni rastro del hedor que desprende la pocilga de cerdos que hay al lado. Conozco el espacio, aunque normalmente siempre estamos fuera. La casa es de piedra, también por dentro. Tiene tres estancias: comedor, salón y cocina con barra americana se unen en un solo espacio cuadrado con una chimenea frente al sofá. Hay dos puertas, una conduce al dormitorio y la otra a un sencillo cuarto de baño. Es todo rústico, con el techo de vigas de madera y sin apenas decoración, pero me siento a gusto. Aquí también se ha ido la luz, por lo que tenemos que mirarnos bajo la luz de unas velas que Jan ha debido colocar hace rato; están consumiéndose, una en el centro de la mesa y la otra en la repisa de la chimenea.

—¿Has visto el vídeo? —pregunto rompiendo el hielo, tras un silencio subrayado por un trueno.

—¿Quieres cenar algo? ¿Un sándwich?

Está claro que no quiere hablar del tema.

—No tengo hambre —contesto.

—No he visto el vídeo, pero he oído hablar de él.

—Es viral, Jan —me preocupo—. Hay millones de visitas y comentarios.

—No quiero saber nada, Alex. Por favor, déjalo.

—Quiero que estés bien.

—¿Por qué? ¿No eres de las que piensa que pude hacerle algo a Silvia? ¿Y si resulta que sí le hice algo, Alex? ¿Y si soy el culpable de que no se sepa nada de ella desde hace un año?

Me quedo en silencio, sopesando sus palabras.

—Tú no le hiciste nada.

—¿Cómo lo sabes? ¿Cómo puedes estar tan segura? No me conoces. Crees que me conoces, pero no me conoces una mierda. Mira, Alex, lo mejor será que te vayas de este pueblo, que no vuelvas y lo olvides todo.

—No puedo.

Avanzo un paso. Dos, tres, cuatro..., hasta situarme frente a él. Alzo la vista para encontrar sus ojos, levanto la mano y acaricio el contorno de su mejilla áspera por la barba. Contemplo el ojo inflamado, la nariz amoratada…

—Estás hecho un desastre —le digo esbozando una sonrisa.

«Pero, a pesar de todo, no sé cómo has conseguido en tiempo récord convertirte en *mi* desastre.»

A lo mejor, hasta ahora, no me he conocido lo suficiente para saber que me gusta el riesgo, y por eso me atrae Jan, porque todo él huele a peligro.

—Para, Alex —me detiene en el momento en que rodeo su cuello con mis brazos. Desliza las manos por mis hombros y me aparta. Se aleja de mí dándome la espalda hasta apoyarse en la encimera de madera de la cocina.

Vale, la he cagado. Noto una explosión de calor en el pecho ascendiendo por mi cuello e incendiándome las mejillas.

He perdido la dignidad, he confundido sentimientos, mi obsesión por su prima me ha traído hasta aquí, a querer desear algo que no puedo tener, así que lo mejor que puedo hacer es retirarme a tiempo y volver al hostal en lugar de quedarme aquí mirando su espalda ancha como una idiota.

Pero en cuanto salgo de su casa, una brutal corriente de aire me empuja contra la puerta, como si el dios Eolo no estuviera de acuerdo con mis planes de largarme. Las ramas de los árboles se agitan con fuerza; los rayos y truenos, más furiosos que antes, resplandecen en un cielo oscuro sin luna. Oigo a los animales, cada uno habla su propio idioma. Ocultos en sus cobertizos, deben estar tan asustados como lo estoy yo, no solo por esta cruel tormenta de verano, sino porque a lo lejos, bajo uno de los árboles sin forma a causa de la hiedra que lleva años trepando a sus anchas, vislumbro una silueta. No se mueve. No hace nada. Pero un escalofrío recorre mi espalda, señal de que me está mirando como yo lo miro a él. La oscuridad me impide alcanzar a ver quién en su sano juicio está ahí a la intemperie, pero no voy a quedarme mucho más rato para averiguarlo y salir de dudas. No. Me largo de aquí.

Corro hacia mi coche hasta que una mano fuerte me detiene e impide que siga avanzando. El corazón me golpea con fuerza cuando los dedos de Jan envuelven mi muñeca acercándome a él y, con demasiada rapidez y brusquedad como para darme tiempo a asimilar qué está ocurriendo, presiona sus labios contra los míos, como si nos estuviéramos ahogando y necesitásemos nuestro aliento mutuo para respirar. Me sumerjo de pleno en uno de esos instantes en los que algo irrevocable que has anhelado con todas tus fuerzas de repente cobra realidad y se materializa abalanzándose sobre ti, como un río sin fondo, y una vez lo cruzas ya no hay vuelta atrás.

Sus manos acarician con desesperación mi espalda empapada, me arriman a él con fuerza. Estoy calada hasta los huesos, temblando en su boca, más excitada de lo que he llegado a estar jamás. Es como subir a la cima de una montaña, lanzarse al vacío y caer. La sensación de vértigo sigue intacta cuando, sin dejar de besarnos, nos resguardamos de la lluvia en el interior de la casa. El mundo ahora, mi mundo, se reduce tan solo a nosotros dos. Nos arrastramos hasta la habitación tropezando con el marco de la puerta, la pared, el borde de la cama… Nuestras lenguas vuelven a encontrarse y empiezo a temblar bajo su cuerpo, donde encajo como si fuéramos moldes a medida. Sus músculos se contraen cuando susurro su nombre: «Jan». Siento un hormigueo en la piel y me arqueo suavemente hasta percibir lo excitado que está. Su mirada me quema, me deja sin aliento, jamás he deseado a nadie como lo deseo a él. Pero a través de sus ojos también puedo percibir el pánico que lo atenaza, el anhelo, la incertidumbre…, como si no pudiera desprenderse del dolor que arde en sus entrañas. Silvia. Su prima. Rezo a un dios en el que no creo para que Carlota se equivocara o mintiera también respecto a este tema y no fueran amantes.

Ahora mismo no podría soportarlo.

Sus manos se deslizan por mi cuerpo, me desnuda, me aferra con violencia a él. Nos mecemos en un vaivén desesperado, brusco, mientras le quito la ropa y, aunque en la oscuridad del dormitorio sigo sin poder ver sus cicatrices en la espalda, las noto, las acaricio y las beso con delicadeza mientras hacemos el amor.

En silencio, fumamos un cigarrillo a medias recostados en la cama. La habitación empieza a plegarse sobre sí misma, el silencio se aposenta en la cama, arremolinándose como las borlas de polvo en los rincones. Había olvidado por completo que, antes de que Jan me asaltara en pleno diluvio, he visto una silueta en el punto justo donde ahora miro por la ventana. No hay nadie ahí fuera. Solo oscuridad. El sonido de la lluvia golpeando las tejas me relaja.

—¿En qué piensas? —pregunta enroscando uno de mis rizos delicadamente en su dedo.

—En nada —contesto pensando que lo de antes no ha sido más que producto de mi imaginación. ¿Quién iba a estar ahí, bajo un árbol, en plena tormenta? Nadie puede estar tan loco.

—Eso es lo que se suele decir cuando pensamos en todo.

Sonrío. Tiene razón. Le doy el cigarrillo, no quiero fumar más. Noto que asiente por encima de mi coronilla. Sigue acariciándome el cabello con una mano lenta y tranquilizadoramente, pero su pecho está rígido, como si estuviera conteniendo la respiración.

—Cuando me fui a vivir a casa de mis tíos…

—No tienes por qué contármelo.

—Quiero hacerlo. Necesito que confíes en mí. —Aprieta mi mano, besa la palma y se la lleva al corazón—. Tenía dieciséis años y una motocicleta muy ruidosa, el último regalo que me había hecho mi padre. Cada noche, cuando todos se iban a dormir, me fugaba de casa para ir al cementerio donde están enterrados mis padres. Me quedaba allí sentado frente a sus tumbas, dos, tres horas…, a veces cuatro o cinco. No quería volver a casa, sabía qué era lo que me esperaba. Aparcaba la moto lejos para que no oyeran el motor, pero aun así, al encerrarme en la habitación, mi tío venía con la cara roja de ira. Sé que Artur, su cuñado, le hablaba mal de mí, por lo que la bola iba haciéndose cada vez más grande por su culpa, y mi tío no necesita una mecha muy grande para encenderse rápido y explotar. Nunca le dije adónde iba en realidad. Él, sin preguntar, daba por supuesto que salía con malas compañías, que llegaba bebido a casa, me drogaba…, no era un buen ejemplo para su hija pequeña, Silvia, que solo tenía diez años. Eso era lo que él decía. Me odiaba, lo notaba. Y, de alguna forma, necesitaba descargar esa ira contra mí. O puede que, simplemente, sea una mala persona. Se sacaba el cinturón y, con fuerza, me golpeaba en la espalda. El infierno duró dos años. A los dieciocho tuve la oportunidad de venirme a vivir aquí, trabajar en la granja, y todo cambió.

—Jan, no sé qué decir.

—Habrás escuchado varias historias truculentas a lo largo de tu carrera. Esto no es nada comparado con otras.

—Pero es tu historia. Y me importa.

—Viví tranquilo durante años —sigue explicando. Yo lo miro embelesada, lo escucho con atención; él mira a un punto fijo de la ventana esquivando mis ojos—. Casi nadie viene hasta aquí, me acostumbré a la soledad… A veces iba a casa de mis tíos, algunos domingos a comer, pero solo por quedar bien con mi tía, que es una santa. Hace diez años, Montse me ofreció hacer rutas a caballo y a pie. Decía que nadie mejor que yo conoce el bosque, así que me animé a trabajar de guía y, además de ganar un dinero extra, me lo paso bien. Hablo con gente que no sabe nada de mí, nada de lo que pasó hace cinco años, cuando Carlota, a quien conocí en el hostal, donde trabajaba de cocinera, me denunció y el pueblo, salvo Montse y Silvia, empezó a darme la espalda, incluidos mis tíos. Creo que mi tío recibió la denuncia como agua de mayo; como te he dicho, siempre quiso pagar los platos rotos conmigo. Mi tía dejó de invitarme a comer los domingos. Silvia y yo nos veíamos a escondidas sin que ellos lo supieran. No querían saber nada de mí. Esa historia ya la sabes. Los tipos de la otra noche eran amigos de Carlota, mala gente. No es la primera vez que nos peleamos; por aquel entonces también me partieron la cara, aunque uno de ellos salió peor parado. —Ríe—. Se pasó tres meses con la pierna escayolada.

»Cuando Silvia desapareció, las miradas se dirigieron a mí. Después de todo, no me sorprendió, claro. El acosador, el violador, el drogadicto…, todo mentira, pero qué sabrán ellos. Qué les importará. Berta Bruguera, la vecina, no se detuvo en la carretera porque creyó que Silvia estaba con Daniel y no corría peligro, pero no podía ser él porque estaba en Barcelona. Tenía coartada… Al tener la misma altura y complexión que Daniel, la mujer empezó a dudar y, como ya tenía suficiente con el cáncer y no quería que la agobiaran, dijo que sí, que era posible que fuera yo. Ya te dije que los caballos no hablan; ojalá lo hicieran, porque entonces hubieran sabido que a esa hora estaba aquí en la granja, como siempre. Todo habría sido más fácil si hubiera estado haciendo alguna ruta. Solo yo sé que no estaba con Silvia en aquel momento. Montse me pidió que dejáramos de colaborar durante un tiempo hasta que se olvidaran de mí. Me recluí aquí y apenas salía. En mayo, Montse me llamó para volver a trabajar otra vez; los clientes reclamaban rutas a caballo, son muy populares. Y entonces, cuando llegó al pueblo una periodista curiosa y cabezota, sentí que llevaba años dormido en una neblina de dolor. Sentí un flechazo desde que te vi y me entró miedo. No te quería aquí. Cuando volviste, hace una semana, una parte de mí se alegró, volví a sentirme vivo, pero la otra se preocupó —confiesa deslizando la mano hasta mi barbilla para levantarme la cara y mirarme intensamente, sus ojos llenos de mil matices que me estremecen, con un tironcito en mi corazón y un cosquilleo ascendiendo por todo el cuerpo—. Tengo miedo de que el asesino de Silvia vaya a por ti si piensa que puedes ser un problema, Alex.

—El asesino —murmuro pensativa, tratando de asimilar lo que me ha contado. Lo mal que lo ha debido pasar y lo solo que se ha sentido todo este tiempo. No entiendo por qué tanta crueldad hacia él. Lo miro y me parece un gran tipo al que nadie conoce ni se ha interesado en conocer—. Me gustaría pensar que Silvia se fue y está bien, lejos, en algún lugar, y que no hay ningún asesino rondando por la zona. Que huyó de su padre…, no sé… Daniel me contó que os pegaba a Silvia y a ti. En cuanto palpé tus cicatrices supe que había sido tu tío.

—Con Silvia era muy estricto, sí —asiente reflexivo—. Mi prima recibió más de una bofetada, pero no fue a más. No le quedaron marcas como a mí. Pobre de ella que trajera una mala nota a casa, que hablara mal o me defendiera, algo que solía ocurrir a menudo. Mi tío no soportaba que Silvia diera la cara por mí. De todas formas, no creas mucho a Daniel, siempre ha tenido fama de mentiroso.

No puedo preguntarle si él era el amante que Daniel asegura que Silvia tenía. No puedo por miedo a la respuesta, a que no sepa mentirme, a que me diga que sí y me ponga a llorar como si estuviera más loca que Carlota Riera.

—¿Y tú?

—¿Yo qué?

—¿No tienes secretos?

—Soy aburrida y transparente como el agua —declaro sonriendo—. Mi único secreto es que robo veinte o treinta lápices cada vez que voy a Ikea.

—Eso lo hace todo el mundo.

—Pero pocos lo reconocen.

—Eres valiente, periodista —sonríe hablando con voz melosa—. Será mejor que durmamos —propone cariñoso acariciándome la mejilla con su dedo pulgar.

—Sí.

Me abraza. Estamos tan cerca que siento su aliento contra el mío. Él cierra los párpados, yo lo miro. ¿Quién decía que en eso consiste el amor? Encontrar a quien te siga mirando mientras tú cierras los ojos.

Me estoy volviendo loca. Culpo a los aires de Montseny, a la ilusión de un amor de verano, de esos tan rápidos e impulsivos como fugaces e inolvidables, que solo he conocido en la ficción. Cuando vuelva a Barcelona me olvidaré de esto, tengo que hacerlo, es complicado. No estoy acostumbrada a estas reacciones irracionales de mi cuerpo, nunca había perdido el control como lo he hecho esta noche. Siento un hormigueo extraño en el estómago, no deja de sacudirse, de encogerse y dar pequeños tirones; son señales que se traducen en que nunca he deseado a alguien de esta manera tan pasional. Lo más raro de todo es que estar entre sus brazos es natural, como si no fuera la primera vez, como si lleváramos toda la vida juntos. No resulta forzado. Es mucho mejor de lo que había imaginado.

—

JAN

—Ya tengo el dinero.

—Si necesitas más, solo tienes que pedirlo. Veo que has cambiado el plan. Tendrías que habérmelo dicho.

—¿A qué te refieres?

—A que anoche os vi. Un arrebato de pasión bajo la lluvia. Muy romántico.

—¿Qué hacías en la granja a esas horas?

—Dejarte el dinero donde siempre. ¿Yo qué sabía que esa entrometida iba a estar ahí? ¿Te comentó algo? Creo que me vio, pero estaba tan oscuro que dudo que me distinguiera con la que estaba cayendo.

—No creo que te viera, me lo habría dicho.

—¿Sabe algo?

—No.

—Bien. Que siga así y deje de pensar en Silvia. Mantenla entretenida hasta que se largue y, cuando lo haga, asegúrate de que sea para siempre. Ya sabes cómo.

ALEX

El canto del gallo del corral a las siete de la mañana no ha conseguido levantarme de la cama, pero sí lo hacen los rayos del sol que se cuelan por la ventana. Ya no llueve, hace ya un buen rato que el cielo se ha despertado radiante. No hay cortina ni persiana, me asfixio si me tapo con la almohada, por lo que, tras refunfuñar un poco, busco mi móvil y le echo un vistazo a la hora. Las diez de la mañana. Jan ha debido levantarse hace rato, siento las sábanas frías al palpar su lado de la cama.

Me muero por un café.

Mi ropa está esparcida por todo el dormitorio, incluido el sujetador, colgado en lo alto del enorme y prehistórico armario. ¿Cómo acabó ahí? Me río. Recuerdo lo que pasó anoche, hace unas horas, lo pasional de cada instante. Me sonrojo y luego, como una idiota, se apodera de mí una risa nerviosa. He vuelto a la adolescencia, a tener otra vez trece años, a las miradas con aquel compañero de clase, de cuyo nombre ni me acuerdo, y a las notitas que me dejaba en el escritorio, siempre a las nueve menos diez, antes de empezar la primera clase.

Solo mis pasos resuenan en las tablas de madera, elevándose en círculos que atraviesan los rayos de sol y las motas de polvo hasta alcanzar el techo. Un perfume a jacintos silvestres entra por la ventana, que he abierto de par en par. Recojo las braguitas y los tejanos del suelo. Aún están un poco mojados de la lluvia de anoche. Maldigo ser tan bajita cuando tengo que arrastrar la silla hasta el armario para alcanzar mi sujetador. Aun así, sigue estando demasiado alto, y tengo que hacer aspavientos para cazarlo, provocando que algo más caiga junto a mi prenda. No le doy mucha importancia, me pongo el sujetador y la camiseta, que encuentro debajo de la cama, y es entonces cuando me agacho a ver qué es. Una foto Polaroid cubierta de polvo. Cuando le doy la vuelta, me pongo a temblar, los latidos de mi corazón se aceleran, una ira inesperada me quema. Tengo que sentarme. La observo con incredulidad. No quería creerlo. No puede ser verdad.

Silvia, desnuda, con la melena revuelta y la cabeza ladeada, en la misma cama donde hace unas horas he hecho el amor con Jan. Tiene las muñecas atadas con cintas al cabezal de hierro, los ojos le brillan, pero la iluminación es escasa; no parece provenir de la lámpara, sino de unas velas. Velas que debían estar esparcidas por el dormitorio en el que me encuentro. Silvia, posando con gesto burlón, jovial y divertida, se ríe de mí. A pesar de haber visto centenares de fotos suyas, esta consigue que la sienta más cerca. Más real, más viva. Compartimos espacio entre estas malditas sábanas blancas que han rozado nuestra piel. Aún debe haber algún pelo suyo, una muestra de que estuvo aquí cuando se acostaba con Jan. Con su propio primo. Con el hombre del que he estado a punto de colarme. Y no me lo quería creer. Qué sencillo era pensar que Carlota también mentía sobre esto para hacerle daño; ella también debió descubrir la foto que sostengo con manos trémulas. Qué sencillo era cuando solo se trataba de una suposición. Ahora que se ha vuelto tan real y demostrable, me da asco.

Se me revuelve el estómago aunque todavía no he desayunado. Quiero correr, huir de aquí, hacer como que no sé nada, pero, sobre todo, no quiero volver a verlo. Ni quiero ni puedo, no. Ojalá no me hubiera acostado con él. No hay nada más terrible que arrepentirte de tus actos y no poder volver atrás para deshacerlos. No entiendo por qué me duele tanto, no pienso con claridad, pero la situación me supera al creer que quizá Jan no solo me ha ocultado esto, sino otras cosas. Si se lo hubiera preguntado directamente, ¿qué habría respondido?

«Todos mienten.»

Jan el primero.

Es tarde para dar marcha atrás. Dejo la fotografía donde estaba, oculta en lo alto del armario, tal y como debió hacer Carlota hace cinco años, y me asomo para asegurarme de que Jan no está en casa. Aliviada por no verlo, salgo corriendo. Al cerrar la puerta de un golpe, el estruendo que rebota en la fachada provoca que unos cuervos alcen el vuelo de los árboles. Ya en el exterior, cojo las llaves de mi coche del bolso y me aseguro de que lo llevo todo conmigo. Entro, arranco el motor y salgo escopeteada de la granja sin importarme que las piedrecitas del camino, dada la velocidad, dañen las ruedas. Por el retrovisor veo a Jan saliendo del corral de las gallinas. Tengo la ventanilla abierta, lo oigo gritar mientras corre, aun sabiendo que no me va a poder alcanzar:

—¡Alex! ¡Alex!

Su voz se pierde con el rugido furioso de mi coche.

La verdad de lo que le pudo ocurrir a Silvia Blanch aparece como un fogonazo imaginario en mi cerebro. La veo a mi lado, en el asiento del copiloto como si estuviera viva, susurrándome al oído:

«Fue él. Él me mató».

DOS AÑOS MÁS TARDE
—

NOVIEMBRE, 2020

Cuando salgo del ascensor, la calefacción de la redacción me recibe como una bofetada en la cara, como solía hacerlo el aire acondicionado durante el último verano que pasé trabajando aquí. La intuición me dice que voy a arrepentirme de estar aquí, en el lugar donde empezó todo.

—¡Alex! ¡Cómo nos alegra tenerte aquí! Pol y Dídac te están esperando en el despacho. Vamos, te acompaño —me saluda Patricia, la recepcionista.

Dedico un gesto seco de cabeza a mis excompañeros, algunos despegan la vista de las pantallas y los dedos de los teclados, sueltan sus móviles, atentos a mis movimientos, y murmuran entre ellos.

No necesito tocar dos veces la puerta acristalada del despacho de mi exjefe con la cabeza gacha por si la he pifiado en algo. En cuanto Pol me ve, levanta su ejercitado trasero del sillón giratorio de piel y sale a recibirme con todos los honores.

—¡Alejandra Duarte en nuestra redacción! —exclama para que todos sigan mirando—. ¡Qué gran honor! —exagera.

Le ha faltado ponerme una alfombra roja, arrodillarse y besar mi mano como si perteneciera a la realeza.

—Vale, vale… —Agacho la cabeza, avergonzada, y saludo con tirantez a mi excompañero de redacción, el que parecía mi único apoyo en la distancia durante aquel verano—: Hola, Dídac.

«Ni siquiera sé cómo te atreves a mirarme a la cara», me callo.

—Gracias por concedernos la entrevista, Alex. Sabemos que vas de culo con la promoción de tu libro.

—Ese lenguaje, chico —le reprocha Pol—. ¿A cuántos idiomas se ha traducido *Todos mienten,* Alex? ¿Diez? ¿Quince? Es una proeza en estos tiempos que corren. ¿Cuánto llevas apareciendo en la lista de los más vendidos en ficción? ¿Dos, tres meses? Me tienes impresionado, se lo estaba comentando a Dídac ahora. Eso es algo que solo consiguen los autores americanos, pero ¿aquí en España? Tan improbable… Yo siempre te apoyé. Siempre te dije que tenías una gran carrera literaria por delante, ¿recuerdas? Permíteme que me sienta parte de tu éxito.

—Lo eres, claro —ironizo—. Cuando me despediste, por fin tuve tiempo de escribir.

—Dicen que todo ocurre por alguna razón, ¿no? —ríe nervioso ajustándose la corbata.

Dídac sonríe. Cuánto tiempo sin verlo, sin querer saber nada de él. Recuerdo sus wasaps, aquellos que nos enviamos durante mi extraño y breve verano en Montseny. Han pasado poco más de dos años, pero parece que fue ayer. Aquel verano aún sigue atormentándome en sueños: las calles del pueblo, el hostal, la barra de L'Estanc, la silueta de las montañas bajo un cielo oscuro salpicado de estrellas, la figura de Silvia Blanch y él, siempre él, amenazante bajo una tormenta de verano. Sin embargo, no puedo obviar que Dídac fue el principal culpable de que mi vida se convirtiera en un infierno durante meses. Dudo que sepa las consecuencias de la imprudencia que llegó a cometer solo para conseguir la exclusiva.

—Vamos con la primera pregunta, Alex. —Dídac coloca su iPhone sobre la mesa; la grabadora está en marcha. Su voz se vuelve más formal—: Alejandra Duarte, desvelaste que tu novela, *Todos mienten,* está inspirada en el caso de la desaparición real de Silvia Blanch, atreviéndote a escribir una parte no resuelta de un caso que archivaron por falta de pruebas. ¿Llegaste a sentirte culpable cuando te enteraste de que su madre fue hallada muerta por una sobredosis de pastillas al poco tiempo de publicar tu libro?

«Todos los putos días de mi vida, cabrón.»

—Tú eres un gilipollas —le suelto.

—Me extraña que no te hayan hecho esa pregunta —se resiste llevándose la mano al pecho con gesto ofendido.

—No tienes por qué responder —me tranquiliza Pol dedicándole una mirada asesina a Dídac.

—En todo momento he dicho que, aunque me inspiré en la desaparición de Silvia Blanch y en los días de verano que pasé en Montseny, el resto es ficción. Fruto de mi imaginación —aclaro una vez más.

—Para ser ficción parece muy real, algo que alimentan las sospechas sobre lo que pudo ocurrir, y más teniendo en cuenta que está inspirado en una desaparición todavía no resuelta que tiene poco de cuento, Alex. Hay quienes piensan que el libro, en su totalidad, es una especie de premonición o, lo que es mejor, que tú, como periodista, descubriste la verdad y, en lugar de denunciarla porque no tenías pruebas suficientes que presentar, la escribiste como ficción. En *Barcelona ahora* no queremos hacer *spoiler,* pero dime, ¿por qué él?

Me quedo muda. «¿Por qué él?»

Temía esta entrevista. Temía a Dídac. Sé cómo es y lo incómodas y agresivas que pueden resultar sus entrevistas, que siempre busca el morbo y, después de lo que me hizo, no sé ni siquiera por qué estoy aquí. Ahora sería yo, igual que hizo Jan en su momento, la que le partiría la nariz, pero me contengo. Trato de calmarme visualizándome, dos años atrás, en mi diminuto apartamento de Gràcia, ese que dicen que, con los ingresos que voy a generar, pronto podré abandonar por uno mejor y más grande en la zona alta de Barcelona.

En aquel momento, sin esperar tal éxito debido a la confesión de «está inspirado en…», solo tenía ilusión por contar una historia, por hablar de Silvia, que se me presentaba a diario en sueños desnuda, como en aquella fotografía que no he podido olvidar. Necesitaba escribir sobre el bosque, los árboles, las montañas que abrazan el apacible pueblo donde los atardeceres parecen milagros, el hostal Montserrat y su protectora propietaria. Y de Jan. Sobre todo, necesitaba escribir sobre Jan, un granjero del que el pueblo y el mundo entero sospechaban, que hacía rutas por el bosque a caballo, que era guapo, salvaje y misterioso, atrayente como pocos y pasional, con un pasado turbio a causa de una denuncia por acoso y violación, aunque nadie se hubiera esforzado en demostrar que era falsa. Un hombre con cicatrices en la espalda fruto del maltrato al que lo sometió su tío, el padre de la joven desaparecida en extrañas circunstancias.

Imaginé qué le pudo ocurrir a Silvia aquella noche del 27 de julio de 2017, le puse voz y sentimientos, la hice jugar con fuego liándose con su propio primo, un mal tipo, y eché a perder su relación con el bueno de Daniel por la locura de un amor imposible con quien quedaba a escondidas en la granja y en Barcelona los miércoles a las seis. Cambié los nombres de los protagonistas y les regalé unas vidas más interesantes que las que probablemente tienen. O tuvieron. Los hice enloquecer, los sometí a arduos giros imprevisibles de los que, como creadora, creía que no podría salir airosa, y, finalmente, le di la razón al mundo. El cadáver de Silvia Blanch apareció, algo que no ha ocurrido en la vida real, y la periodista que lo descubre, que no tiene ni idea del romance de la víctima con su propio primo hasta el final, también está a punto de morir en sus manos, pero, ¡oh!, menos mal, un agente aparece y la salva, deteniendo al verdadero culpable: Jan Blanch. Jordi Borràs en *Todos mienten*. El primo.

Pol, que me mira expectante, tenía razón. Quizá tendría que haberme dedicado a escribir novela romántica.

—Le cogí manía al personaje —finjo, aunque sé que he tardado demasiado tiempo en contestar, lo que me hace poco creíble.

—¿Es cierto que Josep Blanch te amenazó cuando murió su mujer? —pregunta Dídac fingiendo preocupación—. Fue quien te culpó de su muerte, aseguró que tu libro le causó un dolor que no pudo soportar. ¿Piensas que, con libro o sin libro, la madre de Silvia se hubiera suicidado igualmente?

Basta.

—Pol, Dídac, perdonadme, pero esto no funciona. Estas preguntas son…, es demasiado. Tengo que irme.

—Alex, cambiamos las preguntas, no hay problema. Quédate —me pide Pol.

—No. Lo siento, Dídac, en su momento me ayudaste, pero…

—Me he pasado, perdona —reconoce—. Prepararé otra entrevista o, mejor aún, puedo improvisarla ahora mismo si tienes prisa.

Lo miro a los ojos. Me queda claro que Dídac nunca ha llegado a saber las consecuencias que tuvo darle mi dirección y mi teléfono a la persona equivocada. De haber sabido que me ponía en peligro, quizá la exclusiva no le hubiera merecido la pena ni siquiera a él, que en el fondo creo que no tiene tan mal corazón.

—Tranquilo. Otro día. Me ha gustado veros —miento—. Que vaya muy bien, hasta pronto.

Salgo del despacho rápido antes de que nadie me intercepte. Dentro del ascensor me pongo el abrigo.

Empieza a hacer frío.

Mi agente, que esta mañana me acompaña a la ronda de entrevistas, me espera en la calle con un taxi parado a su espalda. Le digo que he abandonado la entrevista, que el periodista ha sacado el tema de la muerte de la madre de Silvia y que, de haber sido publicada, habría quedado mal.

—Era muy morbosa —añado mientras me subo al taxi.

—Entonces has hecho bien.

En el momento en que desvío la mirada por la ventanilla, creo estar teniendo visiones cuando, al otro lado de la calle, veo a Jan. Un hilillo de sudor frío recorre mi espalda, se me eriza el vello, como si estuviera viendo un fantasma del pasado. Un fantasma que nunca he podido quitarme de encima. Nuestras miradas se encuentran, es demasiado real como para que esta vez sea un sueño. Mi agente está conmigo, es real, no estoy dormida. Tampoco estoy confundiendo a Jan con otra persona, como me ocurrió cuando volví a Barcelona, que lo veía por todas partes. Mi agente, tras hurgar en su bolso, encuentra la tarjeta que buscaba y señala la dirección al taxista. Este busca la calle en el GPS y arranca el motor. Dejo atrás a Jan, aseguraría que ha levantado la mano para saludarme. No lo sé.

Siento como si un rayo me recorriera por dentro.

Estoy temblando, y no es de frío.

JAN

—Estoy en Barcelona

   —¿En Barcelona? ¿Tú? ¿Por qué?

   —Alex tiene una presentación esta tarde.

   —Jan, deja en paz a esa tía. Olvida el libro, olvídalo todo.

   —Qué fácil es para ti. Tú no apareces en su libro, pero a mí me ha arruinado la vida. Nos la ha arruinado a todos.

   —Joder. No vayas, aún estás a tiempo.

   —No, ya no estoy a tiempo. Alex me ha visto.

ALEX

Tras un par de entrevistas y una eterna aunque deliciosa comida en el restaurante Boca Grande, cogemos un taxi que nos lleva hasta La Casa del Libro de Rambla Cataluña, donde esta tarde a las seis tengo otra presentación y firma de libros. Se espera que la sala se llene de lectores; ni en mis sueños más ambiciosos habría creído que algo así pudiera pasarme a mí. He perdido la cuenta de cuántas presentaciones y firmas llevamos. He visitado lugares de España que no sabía que existían y he alucinado al ver que se formaban colas más largas que en la administración madrileña de Doña Manolita para comprar la lotería de Navidad. También he aprendido, a lo largo de estos seis meses desde que salió el libro, que se pueden tener agujetas en zonas insospechadas del cuerpo, como, por ejemplo, en la muñeca. Me han repetido una y otra vez que, pese a las amenazas de la familia Blanch, *Todos mienten* habría pasado sin pena ni gloria como la mayoría de los libros de autores noveles de no haber declarado que estaba inspirado en la desaparición de Silvia, la clave del éxito que ahora me lleva de camino a otro evento de promoción.

Pese a todo lo bueno que me está pasando gracias a mi libro, llevo conmigo la carga de las demandas de Josep Blanch, a las que nadie ha hecho caso, haciéndome responsable del suicidio de su mujer. A veces, cuando estoy sola, la voz susurrante de Cati me repite una y otra vez: «Tienes la edad de mi hija. Hasta te pareces un poco a ella». Me derrumbé al saber que está muerta, que ya no podrá saber qué le pasó a Silvia ni llevarle flores a ninguna tumba, y que puede que mi libro fuera el detonante para hacer lo que hizo.

«¿Qué he hecho? ¿Qué tipo de persona soy?»

Me miro en el espejo y no me reconozco; estos dos años han caído pesados como losas encima de mí. La culpabilidad me sigue a todas partes, como si hubiera abierto una caja de Pandora maldita. Carlota Riera, que por lo que he visto en su Instagram ha sido madre de un niño y ya no se pinta los labios de rojo, se vengó de Jan con calumnias que le costaron muy caro. En parte, mi libro también es una especie de venganza; no lo dejo en buen lugar, la gente lo señala, sospecha todavía más de él, y eso provoca que yo no duerma bien por las noches. Tengo sueños extraños con Silvia que me aterrorizan y he perdido del todo mi sentido del humor. Ahora me iría bien un cigarrillo para calmar los nervios. Maldita la hora en la que decidí dejar el vicio. Olvido a Jan. Solo por un ratito. No podía ser él. Quienquiera que sea la persona a la que he visto debía parecérsele. Tengo que dejar de seguir viéndolo en todas las caras con las que me cruzo en la ciudad.

El escaparate de la librería está dedicado esta tarde a mi *thriller Todos mienten.*

¿QUIÉN ASESINÓ A SAMANTA BORRÀS?

QUE NO TE LO CUENTEN

LA HISTORIA INSPIRADA EN LA DESAPARICIÓN REAL

DE SILVIA BLANCH

Ni siquiera me gusta el nombre de Samanta, no sé por qué se lo puse. El ojo verde de la portada oscura me mira. Es inquietante, tanto como la fotografía que descubrí de Silvia desnuda. Me pregunto si Jan sospechó alguna vez por qué me fui o me olvidó con rapidez cuando ignoré sus llamadas y wasaps. Tampoco fue muy insistente; se rindió a los tres días. Supongo que Montse debió decirle que me había ido antes de lo que tenía acordado en la reserva. A lo mejor ni siquiera es consciente de que esa fotografía de su prima/amante está en lo alto del armario de su dormitorio y que cualquiera la puede descubrir, como Carlota o como yo. Quién sabe si la ha buscado o también la ha olvidado a ella. Conjeturo que ha leído mi libro. Puede que mi fugaz encuentro con él, si es que era Jan la persona a la que he visto esta mañana desde la ventanilla del taxi, solo haya sido fruto de la casualidad, aunque hace mucho tiempo que dejé de creer en las coincidencias.

Que un día, al salir de casa, tropezara con Daniel no fue fruto de la providencia. Averiguó dónde vivía, estuvo esperándome durante horas hasta que me vio salir del portal y, entonces, aceleró sus pasos para chocar conmigo y derramar mi café sobre el jersey que llevaba puesto, la excusa perfecta para invitarme a otro. Pol ya me había despedido del periódico, recorte de personal, y no había empezado a escribir la novela. De hecho, era un mal momento, no sabía qué hacer con mi vida y me pasaba el día bebiendo café y fumando, dando largos paseos sin rumbo y viendo en bucle durante jornadas maratonianas *Friends* y *Sexo en Nueva York*. Estábamos a mediados de septiembre y Jan no había vuelto a llamarme ni a enviarme más wasaps para saber por qué hui de la granja precipitadamente. Daniel aparentó estar sorprendido. Al principio, hasta me hizo gracia nuestro *casual* encuentro porque desde que lo conocí en el pueblo me había caído bien. Parecía un buen hombre, aunque deshecho y asustado. Esa tarde, tomando un café en una de las alegres terrazas del barrio de Gràcia, en la plaza del Sol, me habló tanto de Silvia que, pese a mi interés y obsesión por ella, creía que me iba a explotar la cabeza.

Dos días más tarde, Silvia Blanch volvía a ser noticia. Un año y dos meses desde que no se sabía nada de ella y, de pronto, saltó el bombazo:

SILVIA BLANCH TENÍA UN AMANTE

¿SE FUGÓ CON ÉL?

Esa exclusiva, como si *Barcelona ahora* se hubiera convertido en una revista del corazón, le sirvió a Dídac para un aumento de sueldo y mayor prestigio. Desde entonces, se volvió aún más gilipollas, pero yo ya no estaba ahí para verlo. No volvimos a hablar; lo bloqueé hasta en WhatsApp cuando fui consciente de su traición. Del verdadero motivo por el que consiguió la suculenta exclusiva.

—Fuiste tú. Tú se lo dijiste a mi excompañero. Daniel, a mí me hiciste prometer que no diría nada y cumplí. ¡No dije nada! ¿Por qué has hecho esto? ¿Por qué se lo has dicho a Dídac? —le pregunté cuando lo volví a encontrar *por casualidad* nada más poner un pie en la calle.

—Llamé a la redacción del periódico, sí, es verdad. Barcelona es grande, me hubiera sido imposible encontrarte y te quería volver a ver —empezó a explicar con una sonrisa pícara—. Fue ese tal Dídac quien me cogió el teléfono. Cuando supo quién era yo, dijo que me daría tu dirección si, a cambio, le daba algún detalle sobre Silvia que nadie conociera. Sus palabras exactas fueron: «Un buen periodista no comparte por las buenas lo que sabe con fuentes que no cooperan». Así que me dejé chantajear y le conté lo mismo que a ti. Entiéndeme. Me gustaste. Me gustas, Alex. Y, después de más de un año, ni Silvia ni su maldita familia merecen mis respetos. Sus padres me han tratado como a una mierda, como si yo le hubiera hecho algo a su hija. Recuerda el puñetazo que me dio Josep en el bar aquella noche; tú estabas allí, te vi en la puerta. Si no llega a haber gente, me mata.

Tendría que haberme asustado, pero no lo hice. Me fui a casa un poco enfadada, eso sí, y, antes de proceder al bloqueo, le mandé algunos wasaps a Dídac reprochándole lo que había hecho. No obtuve respuesta a ninguno de ellos.

«Nadie puede ser tan perfecto», volví a pensar, como el día que entrevisté a los Blanch. Daniel, por lo visto, tampoco era el novio ideal ni lo mejor que le había pasado a Silvia, como me quiso vender la hermana. Visualicé la negación poco disimulada del padre cuando Cristina hablaba tan bien de Daniel, como si no estuviera de acuerdo. Puede que aquel puñetazo que le dio Josep Blanch en L'Estanc fuera del todo justo. Es posible que un maltratador sepa reconocer de inmediato a otro enfermo.

«No te metas donde no te llaman y piénsate mejor lo de pasar unos días aquí. Esto está lleno de monstruos.» Las palabras del señor Blanch, directas y punzantes, me vinieron a la cabeza. Fue en ese momento, por ponerme a prueba, cuando decidí escribir el borrador del capítulo 1 de lo que se convertiría en mi primera novela, *Todos mienten.*

Al cabo de unas semanas, estuve a punto de cambiar de número de móvil, pero al final bastó con ignorarlo. Daniel también lo había conseguido. Puede que Dídac sucumbiera a otra petición de su nuevo amigo, que no cesaba en su empeño de volver a verme y me escribía wasaps a horas intempestivas de la madrugada, diciéndome que no podía dejar de pensar en mí. Si Daniel Segura no hubiera estado en Barcelona jugando un partido de fútbol con sus compañeros de trabajo, habría sido mi principal sospechoso, aunque, conociendo la parte oscura de su personalidad obsesiva, quién sabe si Silvia Blanch no decidió escapar por voluntad propia. Un tipo insistente y paranoico que me seguía allá adonde iba, incluso a casa de mis padres, en la otra punta de la ciudad. Cuando lo veía a lo lejos, en el mismo vagón de metro, buscaba auxilio en la mirada de la gente, pero, ya se sabe, en las grandes ciudades cada uno va a lo suyo. No me sentía segura ni de día con gente a mi alrededor; Daniel estaba en todas partes. A veces me esperaba en el portal sin que hubiéramos quedado. Simplemente, nos tropezábamos, ¡qué casualidad! «Pasaba por aquí. ¿Qué tal, Alex?» Todo mentira, puro teatro. Daniel me acosaba como supuestamente hizo Jan con Carlota Riera. Joder. Estaba mal, muy mal de la cabeza y, entonces, continué escribiendo. Me fascinaba la experiencia de verme como el personaje de una novela, relatando la realidad con mis acciones y encaminándome por fin a la búsqueda de la verdad.

Salía muy poco de casa. Mis amigas dejaron de insistir en que fuera a tomar algo con ellas. Me demostraron que era bastante prescindible en sus vidas, pero no me dolió; no como podría haberlo hecho en otras circunstancias. Me quedé sola. Daniel, sin ser consciente, me alejó del mundo real. Estuve a punto de denunciarlo, pero no lo hice porque en el fondo me daba pena.

Ya llevaba escritos cinco capítulos sin ningún título en mente, pero era curioso comprobar cómo la vida ficticia de Silvia se había infiltrado en mi novela, como si, de alguna manera confusa e invisible para los demás, estuviera ajustando cuentas con el pasado. Si había algo de ética en la escritura, esa barrera la había cruzado al escribir sobre Silvia. O, en realidad, solo estaba desvelando lo que creía que había debajo de todo, el modo en el que fui capaz de convertir la desgracia ajena en un objeto fácil de manipular.

Era mejor adentrarme en otras vidas cuando la mía se había convertido en una pesadilla. Me daba pavor que Daniel pudiera estar esperándome en alguna esquina dispuesto a hacer cualquier cosa, aunque siguiera viéndolo como un animalillo asustado incapaz de matar a una mosca.

Capítulo diez; la novela avanzaba a pasos agigantados. Silvia estaba ahí conmigo erizándome la nuca, toda la espalda, hasta la mitad de la cabeza. Desde la ventana, ocultando medio rostro tras la cortina, veía a Daniel en la calle, en la acera de enfrente. Daba igual que lloviera o hiciera frío, siempre estaba ahí, como un perro callejero hambriento esperando a su presa.

Un día, bajando las estrechas escaleras de mi portal, caí y me rompí una pierna. Fue lo mejor que pudo pasarme. Una vecina me acompañó hasta el hospital, donde conocí a Cesc, el médico que me atendió. Tenía muy buena planta, una mirada profunda y porte de modelo. Percibimos que en cada visita empezaba a aflorar algo entre los dos. Cuando me retiró la escayola, fui un par de semanas a rehabilitación. Cesc no tenía por qué estar allí durante la media hora que duraba cada sesión, pero iba, y cada vez estábamos más convencidos de que nuestras miradas y esas sonrisas bobas que sobresalían de nuestros labios no eran normales entre paciente y doctor. Había algo especial. Por otro lado, mi novela estaba llegando a su fin. Demasiado tiempo sola en casa sin otra cosa mejor que hacer.

En mi última sesión de rehabilitación, aún con la pierna un poco dolorida, pero feliz por no tener que ir con muleta ni soportar la molesta escayola, Cesc me pidió una cita. Ya no era su paciente, así que no había ningún problema, ¿no?

—Me gusta ir a bailar salsa, pero para eso aún tendremos que esperar —bromeó.

Esa misma noche fuimos a cenar. Caballeroso, Cesc me acompañó a casa. Vislumbré a Daniel al final de la calle, oculto entre las sombras, con la cabeza cubierta por la capucha de su sudadera. No sé qué se le pasó por la mente, pero, afortunadamente, tras verme con Cesc no volvió a plantarse frente a mi portal. Ya no me seguía por la calle ni entraba en el mismo vagón de metro que yo. Mi móvil dejó de sonar con tanta frecuencia; los mensajes y las llamadas desaparecieron.

Daniel se esfumó.

Se han cumplido nueve meses desde que no he vuelto a saber nada de mi acosador, al que apenas nombro en *Todos mienten,* porque el novio, en realidad, nunca llegó a saber quién era Silvia Blanch.

SILVIA

Estar vivo es, esencialmente, una propuesta solitaria. Casi siempre tenemos que llevar nuestra mochila solos; nadie recibe la ayuda que necesita. Todo lo que hacemos en esta vida tiene sus consecuencias.

Tenía que ocurrir.

Algo no va bien, lo presiento, lo sabe. Es el fin. Pero quiero que sea el fin. Dejarlo. Huir de todo este engaño y remordimiento, aunque sea sola. Empezar de cero SOLA sin temer a nada ni a nadie. Suena tan bien… Que Daniel me lo ponga fácil y no ser yo la mala de la película por una vez.

Son las tres de la madrugada. Mis remordimientos de conciencia me impiden dormir. Ha sido un día duro. Extraño. Mi pelea con Jan me ha desquiciado.

—¡No se lo puedes decir! —ha gritado fuera de sí.

—Tiene que saberlo, Jan —le he dicho llorando. Últimamente tengo los sentimientos a flor de piel.

—Ponle remedio cuanto antes, Silvia. O habrá consecuencias —ha revelado, aunque ha sonado más como una amenaza.

Más tarde, al llegar a casa, he encontrado a un Daniel que desconocía por completo.

—¡Ya estoy en casa! —he anunciado mirando la hora en el reloj.

Las once de la noche. No era tan tarde; a veces he llegado a las tres o a las cuatro de la madrugada con la excusa de las eternas reuniones de trabajo. No nos habíamos entretenido mucho tiempo por culpa de la puta discusión, como siempre, respecto a lo nuestro. Echo de menos aquella época, sobre todo al principio, en la que hacíamos el amor dos, tres y hasta cinco veces, sin pensar en nada más. Sin ataduras ni complicaciones, solo el placer de desearnos, aunque lo que estuviéramos haciendo a escondidas estuviera mal. Él me enseñó todo lo que sé. Me hizo mujer. Ahora, después de diez años de idas y venidas y multitud de rupturas de hasta once dolorosos meses enteros, es normal que la llama de la pasión se haya consumido; con una sola vez nos basta, aunque quedemos con más frecuencia por la necesidad de estar juntos. Lo nuestro va a más, es normal. Diez años, pese a nuestros tropiezos, disputas y rupturas, son muchos años. Deberíamos dar el paso, tomar decisiones, pero…

Daniel dice que grito por las noches en sueños. Dios, solo espero no pronunciar su nombre. El tiempo es cruel, incluso para los amantes, para las aventuras prohibidas, esas que atrapan y te arrastran a un pozo oscuro sin fondo del que no puedes ni quieres salir. Es el peligro lo que me tiene cautiva de sus garras. Loca.

Ya no sé ni lo que digo.

Al ver que Daniel no contestaba, me ha extrañado, así que he ido abriendo una por una todas las puertas de la casa hasta encontrarlo sentado en una esquina del cuarto de baño. Estaba completamente ido, abrazado a sus piernas y balanceando su cuerpo a un ritmo rápido y estremecedor. Las lágrimas corrían deprisa por sus mejillas; no respondía, no me veía.

—Daniel. Daniel, ¿qué pasa?

Lentamente, me he acercado a él y he colocado las manos sobre sus rodillas; no he dejado de visualizar ese momento una y otra vez. No entendía qué le pasaba, nunca había visto a nadie así en estado de *shock*, y me he sentido egoísta y mala persona, que al fin y al cabo es lo que debo ser por haber pensado: «No me hagas esto ahora, Daniel, joder. No te vuelvas gilipollas; el lunes empiezo en el nuevo bufete y tengo que estar al cien por cien. Lo que menos necesito son problemas contigo».

—Por favor, di algo. Daniel. Daniel, háblame.

—Te odio. Te odio como nunca antes he odiado a nadie.

—¿Qué dices? Daniel, soy yo, Silvia.

La mirada fulminante que me ha dedicado me ha helado la sangre. Su voz no parecía la suya. El hombre que tenía delante no era Daniel. Pese a conocer su carácter impulsivo, ese no era él, y la situación no me estaba dando buena espina.

—Sé lo que haces los miércoles. Lo he soportado muchos años y por fin lo he descubierto —ha anunciado con voz ronca—. No voy a permitir que sigas riéndote de mí.

Acto seguido, ha salido del cuarto de baño dejando sobre el suelo de baldosas blancas la prueba del crimen.

Mi test de embarazo, el que tiré a la basura hace más de un mes pensando que lo había escondido lo suficientemente bien como para que Daniel no se enterara. Sé que el bebé que espero no es suyo, lo supe en cuanto las dos líneas de color rosa chicle surgieron de la nada.

Y Daniel, claro, también lo sabe.

Hace meses que no hacemos el amor. Apenas dejo que me toque.

Lo miro. Ahora duerme profundamente, como si el episodio de hace cuatro horas jamás hubiera existido. Pero yo sigo sin poder cerrar los ojos. Pienso en los cientos de maneras en las que puede matarme, aquí y ahora, en nuestra cama. Asfixiándome con el cojín, sacando un cuchillo de debajo del colchón para apuñalarme con saña, inyectándome un veneno que paralice mi cuerpo..., qué sé yo.

La mente juega conmigo, siempre he tenido mucha imaginación.

«Te lo tendrías merecido —me dice una voz interior—. Lo has tenido engañado durante diez años solo para contentar a tus padres, para ser como tu hermana, con esa vida perfecta de la que presume. Siempre compitiendo... ¿De qué te ha servido? ¿Para ser una infeliz jugando a dos bandas? Nunca lo has querido. Tú le has hecho esto. Lo has vuelto loco.»

Me levanto con cautela para no despertar a Daniel y, temblando, salgo del dormitorio para ir a la cocina a beber un vaso de agua. Está todo a oscuras. Bajo a tientas las escaleras con la mano apoyada en mi vientre, me topo de frente con la puerta de la entrada. Pienso que podría huir antes de que el bebé crezca en mi interior y no haya vuelta atrás. Quizá tendría que irme de casa sin decirle nada a nadie, aprovechar que Daniel duerme, pero ¿adónde podría ir?

NOVIEMBRE DE 2020
—

ALEX

—Alex. Alex, ¿estás bien? Parece que hayas visto a un fantasma —dice mi editora—. Está empezando a llegar gente, la sala estará llena en cuestión de minutos.

—Estoy bien —contesto subiendo el escalón que me lleva al escenario, donde han dispuesto una mesa alargada para que me siente en medio, junto a mi editora.

Personas a las que no conozco de nada sujetan mi libro, lo hojean, lo dejan quietecito sobre sus rodillas y me miran con interés. No queda una silla libre, hemos completado el aforo; es el efecto Silvia Blanch y todo lo que rodea el misterio de su vida y de su desaparición, en parte recreado por mi libro. Nada de lo que digo es nuevo, lo he repetido hasta la saciedad, el discurso es el mismo de siempre: «La realidad, a veces, supera la ficción».

Tras la presentación, cuando mi editora le ofrece al público, haya leído o no mi novela, hacerme preguntas, la voz de un hombre suena precipitada al fondo de la sala, en la fila que no alcanzo a ver bien, pero un escalofrío me recorre la espalda al saber que es él.

—Por favor, levántese. Que le veamos.

Todos han dejado de prestarme atención para mirar a Jan. Las cámaras se giran para enfocarlo, saben que algo interesante va a ocurrir. Algunos murmuran, también lo han

178

reconocido, saben que es el primo de Silvia Blanch. Jan se levanta con mi libro en la mano, está indeciso y nervioso, se le nota por cómo tiemblan sus manos, por cómo inicia un discurso que yo jamás habría querido escuchar. No está acostumbrado a hablar en público, sé que para él debe ser incómodo y difícil convertirse en el protagonista de la sala. Si no fuera porque sé que no va a decirme nada bueno, incluso sentiría lástima.

—¿Cómo se te ocurrió escribir e inventar sobre un caso no resuelto atreviéndote a inculpar a uno de los personajes basado en alguien real? —le tiembla la voz, pero su presencia intimida. Parece estar muy cabreado, y con razón. Es el malo, aunque, presentándose aquí de esta manera, me demuestra que quizá no tenga nada que ocultar—. ¿Siempre has sido tan frívola, Alex? ¿Cómo eres capaz de inventar que dos primos pueden ser amantes?

Me quedo en *shock*.

¿Ha dicho «inventar»?

Querría decirle que no me he inventado nada, que esa parte sí es real. Quizá la parte más real de todo lo que he escrito. Que tras nuestra noche juntos descubrí su fotografía. Una fotografía íntima que debió hacer él mismo, entre risas y caricias, antes de follarse a su prima. Dios. Quiero salir de esta sala. Hacerme invisible, que la tierra me trague y me escupa lejos de aquí.

—Jan, ¿crees que tu tía tomó una cantidad descontrolada de pastillas a causa de la publicación de este libro inspirado en la desaparición de su hija? —interviene con antipatía otro asistente, aprovechando el repentino silencio de la sala.

Es la misma pregunta que Dídac me ha hecho esta mañana, la que le ha extrañado que no me hayan formulado antes. La pregunta que todos se morían por hacer. La pregunta que yo misma me he hecho cada día desde que me enteré del suicidio de Cati.

¿Por qué todo ocurre tan deprisa como si yo no estuviera presente o no tuviera nada que ver en esta pantomima? ¿Por qué nadie hace nada para detenerla?

Publicidad. Esto también es publicidad para mi libro y para mí; no obstante, lamento que no haya servido para que crezca el interés por seguir buscando a Silvia.

Hay una expectación máxima en la sala. Las miradas van desplazándose de Jan a mí y de mí a Jan. Todo es confuso. Mi editora y mi agente, sentadas en primera fila, dos mujeres que siempre tienen una solución para todo, comentan algo entre ellas sin saber qué hacer o qué decir. No saben cómo reaccionar ante una situación del todo insólita e inesperada. También a ellas se les está yendo de las manos, como cuando escribí el final de *Todos mienten*. Fue la parte más difícil del proceso de escritura, algo que me hizo recordar las palabras de un profesor genial que tuve: «Si tienes problemas con el final es que la has cagado con el principio». Se refería a que si has expuesto tus cartas en el orden correcto, el final debería fluir, debería resultar inevitable. En determinado punto, el destino se apodera de una historia y hasta el mismísimo autor pierde el control.

Perder el control de la situación.

Ya no estoy dentro de mi novela. Lo más horrible de la vida es no poder retroceder.

Todo empieza a dar vueltas, desaparezco por un instante, pendiente de mi agente, que me mira con los ojos muy abiertos, rogándome en silencio que detenga a Jan. «Habla. Habla», parece querer decir. Pero no me sale la voz. Me encuentro dentro de un sueño, quiero gritar, pero estoy tan tensa y nerviosa que no puedo.

—La publicación de este libro le afectó, claro, pero Alex

no es responsable de ninguna muerte —contesta Jan dirigiéndome una mirada triste en la que percibo, como si pudiera leer sus pensamientos, un «¿Por qué te fuiste?».

Su voz ha sonado débil, apagada, sin fuerza, como si se estuviera arrepintiendo de haber venido, de encontrarse en esta sala atestada de desconocidos que lo miran y lo juzgan sin saber qué clase de persona es. Imagino que su intención era hacerme quedar mal y echarme en cara haberlo culpado en la ficción por un asesinato que no sabemos si ha ocurrido. Ambos somos conscientes de que su presencia aquí significa mucho y que va a salir en los medios como lo más interesante de esta presentación, que no habría tenido tanta trascendencia de no ser por él. Se está dando cuenta de su error, puedo verlo.

—Solo quise escribir una ficción basada en un hecho que me conmocionó —intervengo por fin—. La desaparición de una mujer joven, de mi edad, llena de vida, de la que no se ha vuelto a saber nada desde hace algo más de tres años.

Tres años sin Silvia Blanch. ¿De verdad ha pasado tanto tiempo? ¿Videntes y gente de a pie asegurando saber algo sobre su paradero, viva o muerta, seguirán llamando a las redacciones de periódicos o a las comisarías?

Silvia, ¿dónde te has metido?

Ahora todos me miran a mí, a la persona responsable de haber reavivado el misterio de la desaparición de Silvia Blanch. Trago saliva. Jan sigue de pie. Tengo que continuar, aparentar serenidad; aquí no pasa nada. Pero lo que más me sorprende de todo es que lo estoy haciendo por él.

—Sentí mucho la muerte de Cati, era una gran mujer. Aquel verano en Montseny conocí a Jan, el primo de Silvia, y sí, es cierto que Jordi Borràs está inspirado en él y que, a estas alturas, todo el mundo sabe el final de la trama de mi libro. El primo fue quien la mató y la hizo desaparecer durante un año, pero no la escribí pensando que eso fue lo que ocurrió de verdad. —«O sí»—. Hace tres años que Silvia desapareció, lo ocurrido con el personaje de esta novela está inspirado en el caso, pero la resolución es distinta, más temprana, y solo espero que no se trate de una premonición, como han dicho algunos medios. El caso es que aquí y ahora, Jan, quiero disculparme públicamente por el daño que este libro ha podido causarte.

Un único aplauso enmudece con la misma timidez con la que ha empezado. Miran a Jan. Es su turno. Pero se limita a asentir y a bajar la mirada con el silencio como respuesta.

—Bien, pues si esto es todo, procedamos a la firma de libros. Podéis venir aquí para que Alejandra Duarte os firme vuestro ejemplar —intercede mi editora con una sonrisa forzada.

La gente se acerca sonriente, hace fotos, como si nada hubiera ocurrido, mientras yo miro hacia el fondo de la sala buscando a Jan. No está. Se ha ido, no sé en qué momento, no lo he visto salir. Durante más de una hora firmo ejemplares y hablo con mis lectores sin poder sacármelo de la cabeza.

Ya es de noche cuando salimos de la librería. Me despido de mi agente y de mi editora, y, cuando me dispongo a dar un paseo hasta mi casa, una locura de más de una hora caminando por el centro de la ciudad hasta Gràcia, me percato de que Jan está al otro lado de la Rambla. Me está mirando. Me armo de valor y, sin un ápice de rencor hacia él por lo que acaba de hacer, me acerco y nos saludamos.

—Ha pasado mucho tiempo.

—Dos años y tres meses.

Asiento consternada por cómo vuela el tiempo.

—Jan, ¿qué haces aquí? ¿Por qué has querido dejarme en evidencia delante de toda esa gente?

Aparta la mirada, saca un paquete de tabaco del bolsillo de su pantalón, me ofrece un cigarro.

—No, gracias. Lo he dejado.

—Me alegro por ti.

Con calma, enciende un cigarrillo ahuecando la mano alrededor del mechero y con la cabeza inclinada.

—¿Dónde ibas?

—A casa. Tengo que prepararme para ir a cenar con mi novio.

—Tu novio.

—Tú lo has dicho. Han pasado dos años. En estos dos años han cambiado muchas cosas.

—De algo me he enterado.

—¿De qué?

—¿Aparte de que te ganas la vida publicando mentiras?

—Es una ficción, Jan.

—Entonces, no tendrías que haber dicho que el libro está inspirado en el caso de mi prima —me recrimina menos enfadado de lo que creía.

—Fue una estrategia de *marketing*, no lo tenía previsto.

—Y ha funcionado bien.

—Sí. Muy bien —reconozco avergonzada.

—Pero a mí me ha arruinado la vida, Alex. ¿Cómo se te ocurrió adjudicarme el personaje del asesino? La gente habla, siempre habla. Si ya sospechaban antes de mí, imagínate ahora. ¿No lo pensaste? Creen que lo que has escrito en tu libro es lo que pudo ocurrir de verdad, que yo la maté, que está enterrada en el bosque y que no la han encontrado porque soy una de las personas que mejor conoce la zona. Joder, Alex. He perdido las excursiones del hostal por culpa de tu libro. Vivo recluido en la granja sin poder salir.

—Si te sirve de consuelo, ahora mismo me siento como una mierda —confieso con la voz quebrada y ganas de llorar.

—Si al menos hubieras conseguido descubrir qué pasó… —se lamenta.

Ahora la que aparta la mirada soy yo.

—Aquella mañana me fui porque encontré algo en tu casa. Una foto.

—¿Una foto? ¿Qué foto, Alex? —pregunta inquieto. No parece tener ni idea de lo que hablo.

Con la mano, le hago una señal para ir caminando hacia arriba en dirección a mi casa.

—Era una fotografía de Silvia. Estaba desnuda, en tu cama, con las manos atadas al cabezal. —Nos detenemos en un semáforo. Observo la expresión de su rostro entre el tráfico de la calle Aragón. Parece tan confuso que me hace dudar—. Cuando fui a ver a Carlota, te creí —añado lamentando que mi voz se quiebre producto de los nervios—. Ya te dije que, al conocerla, estuve aún más segura de que la denuncia que interpuso contra ti era falsa y así me lo confirmó su compañera de trabajo al día siguiente, cuando llamó al periódico para hablar conmigo. Eso no te lo conté, claro. A lo mejor tendría que haberlo hecho. La mujer me confesó que Carlota había descubierto que Silvia y tú erais amantes, supongo que vio la misma foto que yo, pero no se lo llegó a decir a nadie, curioso teniendo en cuenta las ganas que tenía de vengarse de ti. De haber salido a la luz, te habrían hundido aún más de lo que lo hicieron. Como sabes, Daniel también me dijo que creía que Silvia tenía un amante, aunque él nunca llegó a saber que se trataba de ti.

—Salió en los medios al poco de que te fueras del pueblo, que Silvia tenía un amante. ¿Fuiste tú quien lo dijo?

—No, fue Daniel. Se lo contó a Dídac, mi excompañero

del periódico, aquel al que le rompiste la nariz, para conseguir mi dirección.

—¿Qué?

—Daniel estuvo un tiempo acosándome.

—¿Acosándote? No tenía ni idea.

Se queda blanco, pero no ha negado que Silvia y él fueran amantes, no todavía, lo cual me produce un malestar que no sé cómo gestionar.

—No importa, hace tiempo que no he vuelto a saber nada de él.

—Volvió al pueblo hace unos meses, pero no lo he visto. Creo que lo despidieron del trabajo —me explica—. Él también sale poco de casa.

—El caso es que encontré la foto —vuelvo al tema que me inquieta mientras estamos parados en otro semáforo en rojo— y, bueno, después de aquella noche que pasamos juntos, aunque se supone que tendría que haber estado preparada porque ya sabía que tu prima y tú os acostabais, no pude..., yo... —balbuceo como una idiota—. Tuve que salir de allí.

—Que sabías que mi prima y yo ¿qué? Alex, yo no era el amante de Silvia. De hecho, me repugnó leer tu novela y no sabía por qué habías escrito o supuesto que mi prima y yo estábamos liados.

—¿Y qué hacía esa foto ahí, Jan?

—No puedo decírtelo.

—Entonces, sabes quién era el amante de Silvia y lo has estado encubriendo para no meterlo en problemas. Es eso, ¿verdad? Tiene que ser eso —murmuro más para mí misma que para él—. Si lo sabes, tienes que decirlo. Te puede ayudar a que la gente deje de señalarte con el dedo, Jan.

—¿Y qué más da? Ahora, por tu culpa, todo el mundo cree que Silvia y yo éramos amantes.

—Entonces, ¿se fugó con ese otro hombre? ¿O es que intuyes que su amante pudo hacerle algo? ¿Por qué lo encubres?

La cabeza me va a estallar.

—Tengo el coche en un *parking* de por aquí cerca. Me ha gustado verte, Alex.

—No. No te atrevas a despedirte así de mí. Necesito una explicación, no puedo vivir con esto.

—Olvídalo, es lo más seguro para ti y para todos. Silvia está muerta.

Me mira con un atisbo de algo que no logro identificar en sus ojos. O tal vez es su cara y la forma en que habla. Parece forzada, vacía.

—¿Dónde? Por favor, no me hagas creer que has tenido algo que ver con su muerte, o que sabes algo y no has denunciado al culpable.

—Si pudiera contarte todo lo que sé, o mejor dicho, lo que intuyo, lo haría, pero no puedo.

—¿Sabes qué es lo peor? Que ya no sé qué creer. Que desconfío de todos, de ti el primero, Jan. Alguien me dejó una nota en la habitación del hostal, la recuerdo perfectamente, y tu amiga Montse también debe acordarse de ella. Decía: «Todos mienten». Por eso se titula así mi libro. *Todos mienten* —repito—. Fuiste tú quien me la dejó.

No es una pregunta, es una afirmación.

—Sí, escribí esa nota —reconoce cabizbajo—. Para que te fueras, pero creo que conseguí el efecto contrario. Empezaste a interesarte por Silvia más aún. Aquí nadie dice la verdad, Alex. Ni siquiera yo.

JAN

—Hostia, la puta foto… La has cagado, Jan. Te dije que no fueras a Barcelona, que la olvidaras y no te metieras.

—Saldré de esta, no te preocupes.

—¿Preocuparme por ti? ¿Yo? No me jodas. Te he estado pasando más dinero del que te corresponde para que mantengas el pico cerrado. No quiero ni imaginar las consecuencias si se enteran de lo que pasó. Será mejor que te vayas.

—¿Y quién se va a encargar de la granja?

—Puedo contratar a otra persona. Si sigues en esto, te enviaré dinero vayas donde vayas.

—No, no puedo irme todavía. Alex va a volver, estoy seguro. Y necesito estar aquí cuando eso pase.

ALEX

Mi nombre y el de Jan están por todas partes, algo que, si ha visto Cesc, probablemente le habrá molestado, pero su opinión es lo que menos me importa ahora. Anoche le di plantón por wasap; aunque sé que debería haberlo llamado, después de mi encuentro con Jan no tenía ánimo para hablar ni con él ni con nadie.

> **Alex 20:30**
> Estoy muy cansada. Me quedaré en casa.

> **Cesc 20:32**
> ¡No! Haz un esfuerzo, venga, por mí. El resto de los días tengo guardia y no podré verte. Me muero por verte.

> **Alex 20:35**
> No insistas, por favor. Te quiero.

Cesc no me volvió a contestar pese a mi «Te quiero» forzado, que no debió ser suficiente. Sinceramente, titubeé al escribirlo, algo que respondió a mi incesante pregunta: «¿Estoy perdiendo el tiempo con esta relación?». Supongo que se enfadó, no quiero ni saber qué debe estar pensando de mí si se ha enterado de todo lo que pasó ayer en la presentación.

Anoche sentía que la cabeza me iba a estallar, así que me dejé caer en el sofá sin tan siquiera pensar en cenar nada y me puse a ver una comedia romántica que me aburrió a los cinco minutos.

La repentina aparición de Jan ha puesto mi mundo patas arriba, como ocurrió en el verano de 2018. Tiene esa poderosa influencia sobre mí. Esta noche no he tenido pesadillas con él, sino todo lo contrario. Su aparición en mi sueño era dulce y apasionada; volvíamos a hacer el amor en su cama, con el sonido de la lluvia repicando en el tejado. No había fotos de Silvia Blanch ni alucinaciones desagradables. Me he levantado con la sensación de que Jan estaba a mi lado, de que podía aspirar su aroma y hasta me ha parecido oír los latidos de su corazón. Pero al abrir los ojos estaba, como casi siempre, sola, y eso me ha deprimido.

«Aquí nadie dice la verdad, Alex. Ni siquiera yo», me confesó ayer antes de irse, dejándome con la palabra en la boca y una pregunta: ¿Quién era entonces el amante de Silvia?

Solo quiero que la imagen de Silvia diciéndome que fue él quien la mató desaparezca. No es más que fruto de mi imaginación desde que descubrí la foto, lo sé. Cualquiera pensará que estoy chiflada, pero desde que vi aquella fotografía y escapé de Montseny como si me persiguieran los demonios, no he vuelto a ser la misma.

¿Qué tenía Silvia Blanch para que yo, sin haberla conocido, no deje de pensar en ella como si su fantasma anduviera día y noche detrás de mí?

Lo primero que suelo hacer nada más levantarme es tomar un café, pero hoy he ido corriendo a mirar mi agenda, por si tengo algunos días libres y puedo volver a Montseny. Esta necesidad de ver a Jan me hace sentir enferma, indefensa y descontrolada, sensaciones que detesto, pero que no puedo evitar. Reconozco que tampoco me he esforzado mucho.

Por otro lado, las redes están que arden. Periodistas a la caza de comentarios. Twitter habla de Jan como el responsable de la desaparición de su prima. Se ensañan con él. También conmigo. Tengo varias llamadas perdidas de mi agente y mi editora, de mis padres y de tres números ocultos; periodistas, intuyo. Leo los tuits con el corazón latiéndome desbocado:

¿Los primos eran amantes? ¿Qué nos oculta la escritora @alexduarte?

@alexduarte lo sabe. #TodosMienten

El primo se la cargó. #SilviaBlanch #TodosMienten

#JanBlanch se enfrenta a @alexduarte en su última presentación. ¿Habéis visto su cara?

Cuando Jan intervino, no me fijé en que había móviles que estaban grabando el tenso momento. En uno de esos vídeos casi no reconozco mi rostro pálido, rígido; me pilla perdida, absorta en mis pensamientos, totalmente alejada del mundo real y de la opresión de aquella sala. Debería dejar de mirar las redes sociales, pero la curiosidad —mi maldita curiosidad— me puede. La página de Facebook dedicada a Silvia está más activa que nunca. Hay varias publicaciones con el tema del día; ningún mensaje de videntes ofreciendo sus servicios, asegurando saber dónde está. La gente no da crédito a que mi novela se haya acercado tanto a la posible realidad de que los primos estuviesen liados, temiendo un mismo final. Me echo las manos a la cabeza cuando veo un artículo digital escrito por Dídac en *Barcelona ahora*. No es solo por lo que dice, el impactante titular, sino por la fotografía que aparece, que no tiene nada que ver con la presentación porque él no estuvo allí, pero, por lo visto, sí estaba en la calle o alguien ha vendido las fotografías en las que aparecemos Jan y yo, uno frente al otro, mirándonos a los ojos. Apenas se percibe la tirantez que había en ese momento y que tan bien recuerdo; sin embargo, parecemos dos enamorados tranquilos paseando por la Ciudad Condal.

¿ESTRATEGIA DE *MARKETING* PARA *TODOS MIENTEN*?
JAN BLANCH Y ALEJANDRA DUARTE TAMBIÉN NOS HAN MENTIDO

Mi teléfono no para de sonar. Ahora es Cesc quien llama, pero no tengo valor para enfrentarme a él. Enciendo el televisor. No soporto este silencio. Pongo en marcha la Nespresso, necesito con urgencia café en vena. Todo va bien hasta que la voz de la presentadora del magacín matutino de las nueve me nombra. En la pantalla aparece mi fotografía promocional con el libro y, al lado, una imagen de poca calidad de Jan. Los tertulianos están de acuerdo con Dídac: el numerito ofrecido ayer no es más que una estrategia de *marketing*.

—¿Hacía falta? —pregunta un colaborador sonriendo burlonamente a cámara y arqueando una ceja por encima de la montura naranja chillón de sus gafas de leer.

—Al terminar la presentación se los vio juntos —asegura una mujer haciendo una pausa dramática para señalar, segundos después, la pantalla donde aparece un primer plano mío frente a Jan.

Muestran otra foto en la que estamos esperando a que el semáforo se ponga en verde; yo, con los brazos cruzados en actitud recelosa, y Jan con la boca abierta hablando. Debieron tomarla desde una distancia prudencial para que no nos diésemos cuenta, pero la imagen es de calidad, lo cual hace que recuerde el instante con incisiva precisión. Jan estaba diciendo: «Alex, yo no era el amante de mi prima».

¿Cómo ha podido pasar esto?

Estoy desconcertada, bloqueada.

¿Servirá para que se reabra el caso de Silvia Blanch?

—Alejandra Duarte escribió el libro inspirado en la desaparición de Silvia Blanch sabiendo más de lo que dice.

—Entonces —interviene la presentadora—, ¿creéis que los primos tenían una aventura?

Todos asienten convencidos. Tengo que escuchar, una vez más y de manera pública, que Jan se acostaba con su prima en la misma cama donde estuve yo hace más de dos años.

JAN

—¿Qué hiciste? Te iba a decir que volvieras a las excursiones, aunque sea temporada baja, y ahora, de repente, esto... Me siento muy decepcionada, Jan.

—¿Tanto están hablando de mí, Montse?

—Estás en todas partes. Solo se habla de ti y de la periodista. Hay fotos de vosotros juntos por Barcelona, a la gente le parece muy raro.

—Solo estuvimos hablando.

—¿De qué?

—¿Tú qué crees?

—Jan, tu prima no va a volver. Lo sabes, ¿no?

—Soy el primero que asume que puede estar muerta, Montse, pero la esperanza es lo último que se pierde.

SILVIA

Miro con disimulo su último wasap mientras Daniel desayuna en la cocina. No es miércoles, pero quiere quedar. «En Barcelona, donde siempre», propone desde el teléfono que utiliza solo para escribirme a mí. Parece tenerlo todo bajo control. Le contesto que luego le digo algo seguro, que no vuelva a escribirme hasta dentro de un par de horas, cuando esté en el despacho.

—Daniel.

—¿Qué quieres?

—Tendríamos que hablar de lo que pasó anoche.

Me tiembla la voz. Sabe algo, lo sabe todo; esto es el fin. Y, en el fondo, es lo que quiero. Que todo se acabe aquí.

Dios. Quiero ir al baño a vomitar. Ni siquiera me mira, mala señal, pero, cuando lo hace, preferiría que siguiera ignorándome tras dedicarme una mueca de asco que me produce escalofríos.

—No hay nada de lo que tú y yo tengamos que hablar, Silvia. Déjame desayunar en paz.

—Como quieras.

—¿Qué haces esta tarde?

—No lo sé —disimulo cogiendo con fuerza mi móvil, incapaz de pensar en una excusa coherente—. ¿Por qué?

—Tengo un partido de fútbol con los del trabajo. Llegaré tarde.

—Vale —asiento tratando de normalizar el ambiente—. Me quedaré más rato en Barcelona —improviso, aunque creo que no me escucha—. Así aprovecho para hacer unos recados. Hoy vamos a cenar a casa de mis padres. ¿Crees que a las diez podrás estar?

No contesta. No dice nada más. La expresión de su rostro pálido es inescrutable, como si no recordara nada de lo que pasó, pero a mí me impactó verlo de aquel modo, balanceándose en una esquina del cuarto de baño, con la mirada perdida, cual niño traumatizado con un test de embarazo positivo escondido.

Al cabo de cinco minutos, Daniel desaparece de la cocina, sube las escaleras y se encierra en el dormitorio. Apenas tarda en arreglarse, vuelve a bajar y sé que se ha largado de casa porque oigo el portazo. La situación es deprimente. Un poco más tarde, soy yo la que sale. Tengo reunión a las diez, debería darme prisa. Antes de coger el coche, me quedo absorta en la fachada de mi casa. Prometí decorarla cuando vinimos a vivir aquí, hace ya cinco años, y aún parece que estemos mudándonos. Hay cajas sin desempaquetar, cuadros sin colgar, libros perdidos que deberían estar colocados en los estantes…

Mi cabeza parece estar elaborando un plan del que ni siquiera soy consciente. Le mando un wasap. Decido que este va a ser el último que le envío.

> **Silvia 8:30**
> Donde siempre a las seis. Tengo algo importante que decirte.

No tarda ni un segundo en contestar con un «ok» y un corazón. Frunzo el ceño extrañada. Llevo diez años en secreto con él y, desde que se creó WhatsApp, nunca ha usado ni un solo emoticono.

ALEX

—¿Qué vas a hacer? —me pregunta Cesc preocupado ante la avalancha de titulares y comentarios sobre Silvia, Jan, el libro y sobre mí que inunda las redes.

Eso mismo es lo que me pregunto, y quisiera tener la respuesta para tranquilizar un poco a Cesc, que desde que ha entrado en mi casa, sin tan siquiera darme un beso o saludar, no ha sido capaz de detener el tic nervioso que se le ha instalado en la pierna derecha.

—Por lo pronto, no salir de casa en una semana. No tengo ningún compromiso hasta el día 20.

—Muy bonito. La solución es esconderte. ¿Qué hacías con él?

—¿Con Jan? —disimulo.

—Dicen que es peligroso, que pudo matar a su prima.

—No me hagas reír, por favor, Cesc. Si sospecharan de él, lo estarían interrogando y, que yo sepa, no es así. Debe haber periodistas en el pueblo, lo habrían publicado.

—No me preocupa ese hombre, me preocupas tú y lo que dicen de ti. Tú misma lo incriminaste en tu libro. Aseguran que sabes más de lo que cuentas, que viste algo y que, en lugar de denunciar por miedo, escribiste esa novela para quitarte el peso de encima.

—Que digan lo que quieran, eso no es verdad. No tengo ni idea de lo que le pasó a esa mujer.

—No puedes quitártela de la cabeza. Llevamos nueve meses saliendo, Alex. Nueve. Y en todo este tiempo, en cualquier lugar y en cualquier situación, siempre has acabado sacando el tema.

—Mira, Cesc, será mejor que te vayas. Tengo que asumir que esta historia forma parte de mí, así que, si te cansa, no vuelvas.

Sacude la cabeza y esboza una media sonrisa mirando a su alrededor. Coge su chaqueta y se va sin decir ni mu.

¿Quedarme en casa una semana?

¿A quién quiero engañar?

—Hay periodistas por todas partes.

—Han ido en dirección a la granja, los he visto pasar. ¿Qué has hecho, Jan?

—Yo nada, estoy recluido en casa. Ayer vino a verme un policía.

—¿Y qué te dijo?

—Que el caso de Silvia está cerrado, pero, debido a la curiosidad que ha despertado Alex con su libro, han vuelto a hablar con mi tío. Más de lo mismo.

—¿Sospechan de ti?

—No me pareció que sospecharan de mí, no tienen nada. Dije la verdad, que la noche en la que no se volvió a saber nada de ella estaba en la granja y que la última vez que la vi fue en Barcelona la tarde anterior a su desaparición.

—Ya… Me acuerdo a todas horas de aquel día. Fue el último día que la vi.

27 DE JULIO DE 2017
CINCO HORAS ANTES DE DESAPARECER
—

SILVIA

Es Daniel. Está al otro lado de la calle, justo en la acera de enfrente del bufete. Pero el edificio tiene ventanas opacas, no puede verme, aunque dudo que recuerde cuál es la mía; solo ha estado un par de veces aquí.

¿Qué quiere? Esta mañana me ha dicho que tenía un partido de fútbol con los del trabajo. ¿Era una tapadera para venir hasta aquí y tenerme controlada?

Mierda.

Cojo el móvil. Con las manos temblorosas, sin ser capaz de atinar con el teclado, le escribo un wasap.

> **Silvia 16:00**
> Lo siento. Hoy no podremos quedar.

NOVIEMBRE DE 2020
—
ALEX

Nada ha cambiado desde la última vez que estuve aquí, salvo el frío y la niebla que se espera en un pueblo de montaña con este otoño tan revuelto, que no impide que los cuatro ancianos, con sus respectivos puros y carajillos, estén sentados en las sillas de plástico que hay en el exterior del restaurante de carretera. La escena es la misma que la primera vez que llegué al pueblo en calidad de periodista para escribir un artículo sobre Silvia Blanch con motivo del primer año de su desaparición. Acabo de tener un *déjà vu*, y de los fuertes. Qué extraña sensación la de creer que estás volviendo a un momento de tu vida que ya has vivido.

Atrás han quedado las flores colgadas del poste y la fotografía de Silvia en el lugar donde dejó su coche y se le perdió la pista, pero parece que su recuerdo sigue intacto.

Lo que ocurre a continuación me devuelve al presente, a ser consciente de cuánto me ha cambiado la vida en estos dos últimos años. A percatarme de que toda acción tiene sus consecuencias y que de nada sirve arrepentirse cuando el mal ya está hecho.

Cuando aparco el coche frente al hostal Montserrat, un grupo de periodistas me acorrala tratando de documentar mi llegada sorpresa. No se lo esperaban.

—Alex, ¿qué haces en Montseny?

—¿Sigues empeñada en encontrar a la persona que hizo desaparecer a Silvia Blanch?

—¿Sabes qué le pasó?

—¿Tienes una relación con Jan Blanch?

—¿Te sientes culpable por lo que le ocurrió a la madre de Silvia? ¿Crees que fue por la publicación de tu libro?

Aturdida por el *flash* de las cámaras y el zumbido constante de sus obturadores, todo cuanto logro decir es:

—Sin comentarios.

Me zafo como puedo de sus cámaras y grabadoras y, sin entretenerme cogiendo el equipaje del maletero, entro en el hostal, donde encuentro a una Montse más vieja y encorvada, con la misma camiseta de algodón rosa que recordaba y la placa con su nombre.

—Alex —saluda sin un ápice de asombro en su expresión. Parecía estar esperándome—. Tranquila por esos buitres. Tienen prohibida la entrada aquí.

—Montse, ¿tienes una habitación para mí?

—La de siempre.

—Tú y yo sabemos que no hay nadie en el hostal.

—Solo tengo preparada la habitación 13 —se excusa mordaz.

—Dámela.

Me da la llave sin pedirme documentación, ni siquiera anota la reserva, pero antes de que coja el ascensor para encerrarme en la habitación, Montse me coge del brazo y me detiene.

—No vayas a la granja, por favor. No le hagas más daño del que ya le hiciste.

—¿A qué te refieres?

—A Jan. Hay periodistas también allí, y los que están aquí al acecho te perseguirían. No les des motivos para elucubrar más sobre él. No sabes lo mal que lo pasa un inocente cuando lo creen culpable.

Pienso en mi libro. En la historia que cuenta.

«Cuando eliminas lo imposible, por muy improbable que sea, puedes estar descubriendo la única verdad», escribí parafraseando a Sherlock, fruto de la rabia que me hizo sentir la fotografía de Silvia desnuda en su cama. Aun así, en la presentación trató de defenderme cuando le preguntaron si creía que mi libro había sido el responsable de la muerte de su tía. Es algo que siempre llevaré conmigo. Si pudiese volver atrás, jamás habría escrito la maldita novela. Su mero título me provoca un escalofrío profundo, visceral. Es como si un bloque de hielo se hubiera enredado en mis entrañas.

—Necesito verlo, Montse —suplico angustiada.

—Déjame a mí. Algo se me ocurrirá. Tú espera sin salir de aquí.

Me encierro en la habitación número 13. Está igual que la última vez, aunque el olor es distinto. Abro la ventana para comprobar si los periodistas siguen en la calle y ahí los veo, apoyados en el capó de mi coche con los móviles pegados a la oreja. Uno de ellos, situado en mitad de la carretera para encuadrar la entrada, le habla a la cámara; deben estar emitiendo en directo, pero no me interesa saber qué dicen.

Leo los wasaps de Cesc, que ya se ha enterado de que he regresado a Montseny. «La culpa es de Internet y de su inmediatez, una locura», me lamento. Su último mensaje me deja descolocada: «Voy para allá». Ay, Dios... Creo que estoy empezando a hiperventilar.

Apago el móvil. A tomar por saco. Hurgo en mi bolso hasta dar con el último paquete de tabaco que compré hace años, destinado a emergencias de ansiedad como esta, y enciendo un cigarrillo sin tan siquiera abrir la ventana para que se escape el humo. Llevo tanto tiempo sin fumar que la primera bocanada me hace toser y le sabe agria a mi paladar. Al terminar el cigarro, me acuesto boca arriba en la cama y cierro los ojos. La veo. Veo a Silvia Blanch a mi lado susurrándome al oído: «Encuéntrame».

Entonces me despierto y se desvanece.

Me altero con dos golpes secos que no sé de dónde provienen. Adormilada y con dolor de cabeza, miro la hora. Las siete de la tarde. Llevo durmiendo dos horas, aunque me han parecido cinco minutos. Ya es de noche, la habitación está en penumbra. Los golpes insisten martilleándome la cabeza. Me doy cuenta de que proceden de la puerta. Despacio, me levanto y voy a ver quién es, ignorando las voces que suenan desde la calle. Parece que hay congregada una multitud.

—¿Sí? —pregunto, no vaya a ser que se haya colado algún periodista.

—Soy Montse, ábreme.

Pero al abrir no solo me encuentro con la mujer, sino también con Jan. Está empapado. Las manos escondidas en los bolsillos del anorak negro, incómodo, como si le hubieran tendido una trampa.

—Pasa —le digo.

—Os dejo a solas.

Montse nos dice adiós con la mano. Dejo que Jan entre en la habitación, cierro la puerta, enciendo la luz y, sin decir nada, me asomo a la ventana. Compruebo que se ha puesto a llover, pero aún hay un par de periodistas.

—Me he quedado dormida.

—¿No habías dejado de fumar?

Me río. ¿Es lo único que se le ocurre preguntarme? Cojo la cajetilla de tabaco, le ofrezco un cigarro. Nos sentamos en la cama y fumamos un pitillo a medias en silencio, como en los viejos tiempos. Como en aquel verano. La suave luz de la lámpara cae oblicua sobre su cara. Distingo pequeñas telarañas de arrugas que empiezan a formarse alrededor de sus ojos y en las comisuras de la boca. Sus ojos, del mismo color miel que he anhelado estos años, atraen mi mirada igual que me atrae un cuadro de Van Gogh, buscando atisbos de lienzo oculto entre los pegotes de pintura. Atisbo en él una imagen oscuramente seductora. Veo a alguien que todavía intenta entender qué ha sido de su vida. Veo a alguien solitario, triste e inseguro de todo, que no sabe adónde ir.

—¿Has conseguido lo que querías, Alex?

—Yo no quería esto, Jan.

—No sueles pensar mucho en las consecuencias —me ataca—. Me sabe mal decirte que, pase lo que pase, ya no serás tú quien consiga la exclusiva —añade levantándose y asomándose a la ventana.

—¿Qué quieres decir?

—Que desde el principio te has empeñado en descubrir dónde está mi prima. ¿Por qué? ¿Por qué ese interés? ¡Tu obsesión nos ha llevado a esto! Joder.

—Te pedí perdón, Jan. He venido aquí para estar contigo. Para apoyarte porque no quiero dejarte solo. No sé qué más puedo hacer.

—Cuando descubriste aquella foto tendrías que habérmelo dicho. No necesito que estés conmigo. No necesito a nadie. Solo quiero que me dejen tranquilo y que dejen de conspirar contra mí.

—¿Quién era el amante?

—No te lo puedo decir.

—Pero ¿por qué?

—Porque tiene que estar oculto como lo estuvo durante diez años, Alex —contesta exaltado—. No preguntes más, es demasiado complicado. Silvia querría que fuera así.

—Ven conmigo —le propongo—. Cogemos el coche de madrugada y nos vamos lejos, donde nadie nos encuentre.

—No me voy a ir de aquí. Esos periodistas se cansarán, todo pasará, como ocurre siempre. Tú eres la que debería irse y olvidarse de todo.

—¿Olvidarme de todo? ¿Ahora? Ya es un poco tarde, ¿no te parece? Y sí, sé que tengo la culpa del circo que se ha montado, pero no te puedes hacer una idea de lo mal que me siento, aunque eso a ti te dé igual.

De pronto, el frío se apodera de mi cuerpo. Me froto los brazos para entrar en calor mientras Jan enciende otro cigarro junto a la ventana. Apoyado en la pared, analiza la situación. Me encantaría estar dentro de su cabeza para poder leer sus pensamientos. Respira hondo, cogiendo una bocanada de aire como un crío a punto de zambullirse en el agua, y se acerca hasta mí arrodillándose para quedar a mi misma altura y poder mirarme a los ojos. Apoya una mano en mi rodilla, un gesto de intimidad que me estremece y me hace recordar a mi yo de hace dos años, que casi —casi— se enamora de él.

—Tengo a Daniel controlado —susurra tan cerca de mí que puedo sentir su aliento a tabaco—. Es verdad que Silvia hizo muchas cosas mal y lo estuvo engañando durante demasiado tiempo. Cuando me dijiste que Daniel sabía que tenía un amante até cabos y empecé a entender cosas… Silvia confiaba en mí, quería dejarlo con él porque a veces tenía una actitud extraña…, obsesiva, posesiva, y suficiente tuvo con su padre, que la tenía en una burbuja. A veces quería irse lejos del pueblo con él, otras no podía ni verlo, no se aclaraba. Mi prima siempre fue insegura, en el fondo nunca supo qué era lo que quería hacer con su vida.

—¿Crees que Daniel pudo hacerle algo?

—Daniel no estaba jugando un partido de fútbol aquella

tarde —me dice en el mismo tono susurrante—. Sus compañeros lo encubrieron, yo lo deduje porque había cosas que no me cuadraban, puse a prueba a uno y me lo confirmó. Daniel no estuvo con ellos. Nadie sabe qué hizo aquella tarde.

—Pero tienes que decírselo a la Policía.

—¿Yo? —Esboza una sonrisa triste y niega con la cabeza—. Lo intenté, pero, dados mis antecedentes, ¿quién va a escucharme, Alex?

—Joder, Jan. ¿Tu tío lo sabe?

—Se lo dije la última vez que hablamos, pero me echó a patadas porque él siempre ha desconfiado de mí. Lo más fácil es sospechar de alguien a quien denunciaron por acoso y violación, y echar pestes sobre él sin tener idea de nada, antes que de un novio con un historial intachable. Sin embargo, cuando le dio aquel puñetazo a Daniel en el bar, empecé a creer que, de alguna manera, mi tío sí me creyó. La lástima es que, aunque han pasado más de dos años, la gente sigue acordándose de aquella tarde en la que Josep se puso violento, y tratan a Daniel como si fuera la víctima de todo esto. El pueblo y la Policía, a quien mi tío trató muy mal cuando dejaron de lado el caso de Silvia, está contra nosotros y no hay nada que podamos hacer. Para ellos, Daniel es un santo.

MONTSE

—Los periodistas tienen prohibida la entrada a este hostal, señor. Por favor, váyase por donde ha venido.

—No soy periodista. Soy el novio de Alejandra Duarte. Me consta que está aquí.

—¿Su novio? ¡Vaya a engañar a su madre!

—Me llamo Francesc Vidal, trabajo en el hospital Clínic de Barcelona y le digo que soy el novio de Alejandra Duarte desde hace nueve meses. Por favor, ¿en qué habitación está?

—Le estoy diciendo que no está en este hostal. Mire en otro, que hay más.

—Un periodista ha publicado en Twitter una foto de Alex entrando en este; no me mienta. De aquí no me voy a mover hasta que no me lleve a su habitación. Y como no lo haga en media hora, subo planta por planta a tocar todas las puertas. No creo que haya muchos huéspedes en esta época del año.

—Haga lo que quiera, pero a Alejandra no la va a ver.

—Te odié. Cuando leí tu libro te odié —reconoce con la voz rota.

—Yo te odié cuando descubrí aquella foto.

Esboza otra de sus sonrisas tristes que me encogen un poquito el alma. Sigue arrodillado frente a mí; su cuerpo encorvado se acerca a mi pecho al mismo tiempo que mis manos rodean su cuello. Nuestras caras están muy cerca y, justo cuando nuestros labios se rozan con la necesidad imperiosa de besarse, unos golpes en la puerta interrumpen el momento, tensando el ambiente, congelando el tiempo.

—A lo mejor es Montse. Querrá llevarme de vuelta a la granja.

—¿Los periodistas te han visto? ¿Saben que estás aquí? —le pregunto dirigiéndome con cautela a la puerta.

—No. Montse los ha sabido esquivar. Hemos entrado por la puerta de atrás.

—¿Quién es? —pregunto.

—¡Alex! ¡Alex, soy yo, Cesc!

Miro a Jan con el corazón golpeando fuerte en mi pecho. He olvidado por completo el wasap que Cesc me ha mandado hace unas horas diciéndome que iba a venir hasta aquí.

—¿Quién es Cesc? —pregunta Jan levantándose.

—Mi novio —balbuceo agobiada llevándome la mano a la cabeza sin saber qué hacer.

Jan emite un chasquido y, decidido, abre la puerta encontrándose por primera vez con Cesc. No puedo remediar compararlos. Cesc, con sus polos Lacoste a juego con los pantalones de pinza, siempre bien afeitado, repeinado con gomina y olor a Ralph Lauren; Jan, salvaje, con sus tejanos roídos y las camisetas de algodón baratas, su barba descuidada de tres días y el cabello negro revuelto.

—Lo siento, no he podido detenerlo —se disculpa Montse mirando inquisidora a Cesc, que solo tiene ojos para Jan.

—¿Qué hace este aquí? —pregunta con desprecio.

—No, Cesc, no voy a permitirte que hables así. Es Jan Blanch, el…

—Sé quién demonios es este tío, Alex, y no me gusta un pelo que esté en tu habitación.

—Ya me iba —interviene Jan sin querer meterse en problemas.

—No. No te vayas —le ruego mirándolo suplicante.

—Es lo mejor —me rebate sin dejar de mirar a Cesc—. Ya sabes lo que opino de que estés aquí. Tienes que irte, Alex.

—En algo estamos de acuerdo —interviene Cesc entrando en la habitación apartando a Jan de un codazo.

El corazón se me arruga como una pasa al ver a Jan alejándose por el pasillo con Montse, que lo lleva cogido por el brazo como si fuera un niño. Los pierdo de vista cuando bajan las escaleras, enfrentándome al mal humor de Cesc, que se asoma por la ventana olfateando.

—¿Has estado fumando?

—No —miento.

—Pero ¿cómo se te ocurre venir hasta aquí con la que está cayendo?

Su tono de voz ahora es dulce, aunque se nota que está molesto. Se acerca a mí, me agarra por la cintura y me planta un beso en los labios que no me sabe a nada.

—Venga, tenemos que irnos.

—No quiero irme. Todo esto está pasando por mi culpa, tengo que estar aquí.

—Si no vienes ahora mismo conmigo, esta relación termina aquí. ¿Eso es lo que quieres, Alex?

Es lo que quiero. Que termine. Aquí y ahora, me da igual. Sin embargo, no sé qué es lo que me pasa, no sé si son las voces del exterior, el frío o esta habitación, cuyas paredes de repente parecen más estrechas, lo que me hace contestar como una autómata:

—Vale, Cesc. Vámonos.

27 DE JULIO DE 2017
CUATRO HORAS Y MEDIA ANTES DE DESAPARECER
—

SILVIA

Daniel sigue en la calle controlando a todo aquel que entra y sale del edificio. Es la primera vez que lo hace, o por lo menos, la primera vez que lo pillo. Me da miedo. Vuelvo a no reconocerlo, a no saber quién es la persona con la que he compartido gran parte de mi vida.

Busco alternativas. Podría bajar hasta el garaje, donde tengo mi coche, y salir por la rampa que da a la calle de atrás. No me vería y pensaría que me he quedado trabajando hasta tarde. Sería la excusa perfecta, aunque me pongo a temblar imaginándome de nuevo con él en casa aparentando que todo va bien.

Miro el móvil. No ha contestado, ni siquiera ha leído mi wasap. Le escribo otro rectificando. Le digo que Daniel me vigila, resumo lo que pasó anoche, su locura en el lavabo, que tengo miedo, que me venga a buscar... Que no estoy exagerando y que a lo mejor sí ha llegado el momento de dejarlo todo atrás y terminar con este engaño porque...

Me detengo.

Por el bebé.

Por nosotros.

Por todos.

Borro lo que he escrito. Me limito a preguntarle si me

ha leído. Espero su respuesta mientras sigo observando a Daniel. Parece nervioso. Mira a un lado y a otro de la calle.

Cuando vuelvo a mi mesa tratando de centrarme en todo el trabajo pendiente que tengo que dejar listo antes de irme, mi jefe entra en el despacho sin tocar a la puerta. Me sonríe lascivo, como siempre, aunque ambos hemos olvidado aquel episodio en el que intentó propasarse conmigo. Solo fue una vez, hace tres meses, después de años confiando en su profesionalidad, motivo suficiente para replantearme el cambio de bufete sin decirle nada a nadie por la vergüenza que sentí cuando su mano apretó mi muslo deslizándose con lentitud hasta mis bragas. ¿Llevaba la falda demasiado corta? ¿Quizá debería haberme abrochado el último botón de la camisa?

—Esto es lo que provocas en los hombres —me dijo señalando su miembro abultado debajo del pantalón.

Qué importa eso ahora. Ya pasó. En cuanto me aparté, no lo volvió a intentar ni me forzó a hacer nada que no quisiera, aunque jamás obtuve una disculpa por su parte. El lunes abandono este despacho y no tendré que volverlo a ver. Un nuevo comienzo al que le tengo muchas ganas.

—Silvia, Silvia, Silvia… ¿Qué voy a hacer sin mi mejor abogada? ¿Podemos hablar un momento?

—Claro —accedo tratando de disimular el miedo.

Tras la tormenta vuelve la calma. Se habla menos de Silvia Blanch, de su primo, de mi novela y de mí. Solo espero que Jan esté tranquilo. Nunca borré su número de móvil, por lo que le he enviado varios wasaps para asegurarme de que está bien, pero no he obtenido respuesta de ninguno y tampoco coge el teléfono. Creo que se está vengando de mí porque me fui sin dar explicaciones aquel verano, cuando las circunstancias eran distintas y era yo la que no le contestaba a él.

Lo peor de todo es que desde que Cesc vio a Jan parece que se siente más inseguro y no me deja tranquila. Prácticamente se ha mudado, sin pedir permiso, a mi apartamento. Hace días que su cepillo de dientes no se mueve de mi cuarto de baño. Ha renunciado a guardias en el hospital para llevarme a cenar a sitios caros y ser mi acompañante en fiestas, eventos y presentaciones. A veces, en las salas de las librerías busco a Jan, por si decide volver a ponerme entre las cuerdas delante de los lectores, pero la única cara conocida con la que me topo es la de Cesc, y no podría disgustarme más. A lo largo de estas tres semanas, no logro encontrar mi sitio en ninguno de estos lugares, y creo estar posando en las fotografías como lo hacía Silvia Blanch, sin una sonrisa iluminando mi rostro, sintiéndome incómoda en mi propia piel. Imagino que las razones son distintas; yo no tengo un amante oculto o prohibido por el que sentirme culpable.

Le he dado muchas vueltas al asunto de que la coartada de Daniel el día de su desaparición fuese falsa; bien es sabido que el lobo suele ir vestido de cordero y, después de los meses en los que lo tuve cada día esperándome en la calle, frente a mi portal, se ha convertido, de pronto, en culpable. ¿De qué? No lo sé. Sin el hallazgo del cuerpo, no hay crimen. Volvemos a lo mismo, a un punto sin retorno. ¿Silvia está muerta o huyó por voluntad propia? Si huyó, ¿dónde está? ¿Por qué no da señales de vida? Si su amante no era su primo, ¿quién era entonces? La pregunta que nadie se hace es: ¿Huyó de Daniel? Puede que, a fin de cuentas, la vecina Berta Bruguera estuviera en lo cierto cuando testificó que el hombre que le pareció ver con Silvia era Daniel.

Echo en falta una respuesta, buena o mala, no sé. Algo definitivo y tangible que pueda usar de guía para descubrir qué ocurrió aquella noche, aunque me temo que, viva o muerta, Silvia se ha llevado las respuestas con ella. Desde que conocí su entorno, siempre se me han amontonado las preguntas, pero ahora lo hacen con insistencia, algo de lo que he hablado en confianza con mi editora.

—Ni se te ocurra ir a la Policía con tus sospechas sobre Daniel —me ha dicho—. No te expongas, puede ir en tu contra y es algo que ahora mismo no nos interesa.

Pienso en la aparente fragilidad inicial de Daniel y el acoso diario al que me sometió, no sé con qué fin. «Me gustas, Alex», dijo cuando aún no me asustaba. Tendría que haberlo denunciado, enfrentarme a él, hacer las cosas de otra manera, pero para eso también se me ha hecho tarde, y el fantasma de Silvia Blanch, a la que le he otorgado una voz aterciopelada y misteriosa, sigue apareciendo cada noche para recordármelo.

JAN

—Sí, todo está más tranquilo.

—Menos mal. Estoy fuera por unos asuntos de trabajo. Cuando regrese te dejaré el dinero donde siempre.

—Vale.

—¿Has vuelto a saber algo de la periodista?

—No.

—¿Sigues sin cogerle las llamadas?

—¿Para qué? Ella con su vida y yo con la mía.

—Es mejor así, Jan.

DICIEMBRE DE 2020
—

ALEX

A primeros de mes la editorial organiza una cena de gala. No pensaba que me fueran a invitar, pero están satisfechos con las ventas y la promoción de *Todos mienten,* y quieren que lea un discurso. En mi primera presentación del libro comprobé que detesto hablar en público; una siempre puede aprender cosas nuevas sobre sí misma.

—¿Ya tienes tu discurso preparado? —pregunta Cesc elevando la voz desde la cocina.

El apartamento es aún más pequeño desde que él está aquí y, aunque hubiera susurrado la pregunta, lo habría oído igual.

—Algo se me ocurrirá —contesto ensayando una pose forzada frente al espejo vertical de mi dormitorio.

Confieso que los *photocall* me dan miedo. Siempre creo que, de camino al centro para posar ante la prensa, voy a tropezar con las alfombras tupidas que colocan en el suelo y quedaré en ridículo, o lo que es peor, terminaré con la cara aplastada y la nariz rota, algo que irremediablemente siempre me recuerda a Dídac y al golpe que le propinó Jan. Hubiera pagado por haber presenciado ese momento.

—El vestido es muy bonito.

La voz de Cesc suena cerca, así que miro hacia la puerta y ahí lo tengo, apoyado en el quicio, sujetando una de mis tazas de café con mensajes positivos. Ofrezco una sonrisa tan tirante como una goma elástica a punto de romperse. Se aproxima, me abraza por detrás pegando sus caderas a las mías y empieza a besuquearme el cuello. Como sé que no ve mi expresión, aprovecho para no disimular una mueca de asco, mirando a través del espejo cómo sus manos me rodean la cintura y suben hasta manosear mis pechos, momento en el que el rostro de Jan se cruza por mi mente como una ráfaga. Sigo sin poder quitármelo de la cabeza. Está ahí desde la noche que pasamos juntos. Siempre ahí, siguiéndome como si se hubiera convertido en mi sombra.

—Ahora no, Cesc.

—Lo siento —se disculpa levantando las manos, culpable como si hubiera cometido un crimen—. Voy a empezar a arreglarme.

—Vale.

Dos horas más tarde, engullida en un circo entre famosos y no famosos, poso junto a Cesc para la prensa. Él, orgulloso, no me suelta. Me agarra por la cintura con una sonrisa hueca permanente en su rostro, se me antoja pesado, empalagoso, pero al menos no he tropezado con la alfombra granate y mi ensayada pose, unida al «¡Qué guapa!» que han soltado algunos periodistas, me hacen creer que no voy a salir del todo mal en las fotos. Llevo un vestido palabra de honor color esmeralda adornado con pedrería y unos tacones dorados de vértigo. El *photocall* está instalado en la calle, frente a la entrada del céntrico local alquilado para esta noche; al quitarme el abrigo, el frío me eriza el vello.

Daría lo que fuera por estar en cualquier otro lugar.

JAN

—¿La estás viendo?

—No, Montse, no la estoy viendo.

—No me mientas. Tienes puesta la tele de fondo, los informativos.

—Vale, sí.

—Va muy guapa, pero le sobra un complemento.

—¿Cuál?

—Ese tío. Cesc se llamaba, ¿no? Estaría mucho mejor contigo.

—Tengo cosas más importantes en las que pensar. Hasta mañana, buenas noches.

ALEX

Canelón de Angus, setas, rúcula selvática, crema de mostaza y microvegetales: primer manjar de la noche servido en un plato hondo de porcelana de calidad.

—Lo que de verdad es «micro» es la cantidad de comida que ponen —le susurro a Cesc en un intento por sonar divertida y disfrutar, en la medida de lo posible, de esta enorme sala iluminada con luz fluorescente morada que hace imposible distinguir los colores de los alimentos que sirven.

—Tengo que acostumbrarte más a este tipo de comida elegante y exquisita —contesta serio mirando sonriente a los escritores que han asignado a nuestra misma mesa de seis comensales, redonda y con un adorno floral rimbombante en el centro.

Mi móvil, embutido en un bolso diminuto de Chanel, empieza a vibrar con la misma fuerza con la que los tacones de la escritora de *chick-lit* más famosa del momento retumban en las escaleras que conducen al escenario. Estoy demasiado entretenida queriendo averiguar quién me ha enviado un wasap desde un número desconocido como para escuchar lo que empieza a decir. Ni siquiera me molestan los codazos de Cesc, que me ruega en silencio que deje el móvil quietecito durante toda la gala.

Que le den.

Miro a mi alrededor con pavor, como si Daniel pudiera aparecer de un momento a otro en modo acosador.

—¿Pasa algo?

—No —contesto con asombrosa rapidez apagando el móvil y guardándolo en el bolso.

No tengo nada que hablar con Daniel. Sea lo que sea lo que quiera decirme, no será tan importante como para que no pueda esperar o, mejor aún, ser ignorado.

¿O sí?

La noche transcurre con normalidad. Intento pasármelo bien, hablar con conocidos y desconocidos, aunque parece que solo sepan iniciar una conversación referente a viajes, golf, convenciones literarias y libros. A medianoche me toca subir al estrado. No tengo tanta gracia caminando con tacones como la escritora de *chick-lit,* intento no tropezar con las escaleras. El truco de imaginar a todos los presentes desnudos no me funciona, pero la iluminación del escenario ayuda a que la multitud sea solo sombras, siluetas difuminadas, esparcidas por el espacio. No veo con claridad la cara de nadie, con esos potentes focos centrados en mí; cierro los ojos durante un par de segundos tratando de olvidarlos, me sitúo frente al atril y, sin más dilación, empiezo a improvisar. Sé lo que quiero decir, aunque aún no tengo ni idea de en qué orden voy a usar las palabras. Espero no tartamudear, encontrar el valor necesario para desprenderme de toda la mierda que llevo dentro. Deseo con todas mis fuerzas que llegue a sus oídos, que ese rencor que siente Jan hacia mí se esfume como lo hizo Silvia hace más de tres años.

—Buenas noches —empiezo a decir tras un aplauso general contenido—. La mayoría de los aquí presentes nos dedicamos a contar historias y a encontrar las palabras adecuadas para hacerlo. ¿Cuál es la finalidad?, me pregunto a veces. Cada escritor tiene la suya, supongo. En mi caso, escribí una ficción inspirada en un hecho real que me obsesionó hace dos años, cuando desde el periódico en el que trabajaba me enviaron a hablar con la familia de Silvia Blanch, que por aquel entonces llevaba un año desaparecida. Toda alma creativa tiene una enfermedad: la obsesión.

Me detengo en seco. Percibo la expectación del público. Oigo sus susurros: «¿Qué le pasa? ¿Qué mira? Sigue, sigue…». Todos los ojos están puestos en mí, como los de los jubilados en la terraza del hostal de Montse la primera tarde que llegué a Montseny. Pero ahora algo ha cambiado. No son ellos, soy yo. Vislumbro al fondo de la sala unos ojos verdes conocidos, especiales, muertos. Siento un ligero mareo, la sensación de caer a un pozo sin fin, de mudar de color de piel, de quedarme blanca como el papel. Son solo imaginaciones mías, pero realmente creo que Silvia está aquí. ¿Cómo reconocer que estás loco si estás loco? ¿Qué querrá decirme Daniel? Su mensaje me ha turbado. «No, ahora no pienses en ese loco, Alex. En ese otro obsesivo. ¿Qué te diferencia de él? Tú también eres una especie de acosadora, lo has sido durante todo este tiempo, pero a los muertos no les importa ser el centro de atención.» Los muertos no temen a los acosadores. Silvia no tiene por qué temerme. El problema es que todos tenemos secretos que no nos contaríamos ni a nosotros mismos.

¿Qué secretos tenías tú, Silvia?

—Así que elucubré una historia —continúo después de tragar saliva, tratando de desprenderme de los nervios—, pero las palabras siempre fallan; la escritura nunca llega al fondo de las cosas. Con un poco de suerte, lo bordea, lo toca, puede rozar la herida. Pero ese lugar siempre permanece opaco, indescifrable, oscuro. Llamé Samanta a Silvia y Jordi a Jan Blanch, dos personajes tan ficticios como reales. Les di una vida imaginaria que no tiene nada que ver con la verdad. Imaginé una trama en la que el lector sospechase de todos y de nadie, incluso abrí las puertas de una posible aparición y, por tanto, huida voluntaria de nuestra protagonista. Supimos todo de Samanta y Jordi Borràs, pero no tenemos ni idea de quiénes son Silvia y Jan Blanch.

»¿Hay algún escritor que se arrepienta de algunos de sus títulos? —Silencio. Casi puedo escuchar la voz de mi editora rogándome que no siga—. Yo sí. Jamás debí escribir *Todos mienten*. Jamás debí culpar al primo. Jan Blanch es inocente —declaro alto y claro—. Las respuestas de lo que pudo ocurrir la noche del 27 de julio de 2017 solo las tiene Silvia Blanch. Ni yo ni nadie sabe nada. Gracias.

El aplauso tarda en llegar y se produce por mera formalidad. Bajo las escaleras torpe, ausente, ida. Algunos se acercan a felicitarme, pero las sonrisas son falsas, incluida la de Cesc cuando me siento a su lado. Parece avergonzado. Si espera a que le pregunte que qué tal he estado, se equivoca. Me importa una mierda.

No recuerdo a qué hora llegamos a casa. Me levanto de la cama angustiada, con resaca y la sensación de no haber pegado ojo pese a ser las cuatro de la tarde. En el lado de la cama donde ha dormido Cesc hay una nota en la que ha escrito que se ha ido a trabajar al hospital. No añade, como siempre hace: «Un beso», «Te quiero», «Tienes café en la cocina»… Mi discurso no pareció sentarle bien, ni a él ni a mucha otra gente. Mientras me emborrachaba para que se disipara el disgusto, creí escuchar que mi carrera como escritora estaba acabada. Igual hablaban de la escritora de *chick-lit,* puede que también la cagara en su discurso, al que no presté atención. No puedo seguir creyéndome el ombligo del mundo.

Voy hasta la cocina y, al mismo tiempo que pongo en marcha la Nespresso, una bombilla se ilumina en mi cerebro al recordar los wasaps de Daniel. Recorro a toda prisa mi apartamento buscando el bolso de fiesta de Chanel hasta dar con él debajo de la cama. Saco el móvil con desespero y tengo la santa paciencia de aguardar a que se inicie. Cobra vida con una explosión de alertas: llamadas perdidas, wasaps y correos electrónicos por leer… Con las manos agarrotadas por la inquietud, voy a lo que me interesa. Hay varios wasaps, pero el único que abro es el del número desconocido. El número de Daniel.

Número desconocido 00:30
Voy a llevarte hasta el lugar donde enterré a Silvia.

Antes de su último mensaje, hay un par de wasaps que aparecen como «Este mensaje fue eliminado». Maldita la hora en la que a los creadores de WhatsApp se les ocurrió la idea de poder eliminar mensajes ya enviados. Jamás sabré lo que decían, pero lo que releo, creyendo que estoy soñando y que no puede ser verdad, me destroza por dentro. La revelación forma un cosquilleo nervioso en mi garganta. Leo el mensaje varias veces, mientras las cosquillas se transforman en una sensación que solo puede describirse como si fuera un aleteo. Es como si me hubiera tragado un colibrí y sus alas batieran con fuerza contra mi esófago.

No debería haberlo ignorado, debería haber contestado o, lo que hubiera sido más sensato, dar aviso a la Policía.

Sin saber qué hacer, sujetando el móvil con las manos temblorosas, doy vueltas por mi apartamento. Me acompaña una ira irracional que no discrimina nada. Estoy furiosa con todo. Estoy furiosa con la vida, con Daniel, con Silvia... Con Jan.

«Voy a llevarte hasta el lugar donde enterré a Silvia.»

Menos mal que Cesc no está aquí.

Enciendo un cigarrillo, abro la ventana y, sin pensarlo dos veces, marco el número de Jan, la única persona con la que puedo hablar.

Un tono, dos, tres..., vamos, cógelo, por favor. Coge el teléfono.

—Jan —saludo tratando de no ahogarme con mis propias palabras—. Anoche recibí un wasap extraño de Daniel.

—¿De Daniel?

—Sí. Al principio... —Tengo la boca seca, apenas puedo hablar, pero le hago un resumen—. Me acabo de levantar y lo último que me escribió tarde, a las doce y media, fue: «Voy a llevarte hasta el lugar donde enterré a Silvia».

Al otro lado de la línea, silencio. Imagino a Jan pensando, fumando, rodeado de sus gallinas y sus caballos, sentado sobre la roca en la que estuvimos juntos tantas veces, observando el verde paisaje bajo un cielo plomizo.

—Alex, han encontrado a Daniel muerto esta mañana en el bosque. Se colgó de un árbol, parece ser que ha sido esta madrugada, no saben bien cuándo y... no ha saltado la noticia a la prensa, supongo que no tardará, pero han desenterrado los restos de un cuerpo justo donde le colgaban los pies.

Me quedo helada; un escalofrío súbito, paralizante. Cómo consigo seguir sosteniendo el teléfono es un misterio. Que pueda seguir articulando palabra es un milagro menor. A partir de ahí solo consigo entenderlo a medias, pero las palabras clave son claras, como golpes de un pico en el hielo.

Daniel. Bosque. Muerto.

—Tienen que asegurarse de que los huesos son de Silvia —añade con un hilo de voz—. Pero la ropa coincide. Mi tío acaba de venir a la granja a decírmelo, nunca lo había visto así, y menos conmigo.

—Jan… —murmuro sabiendo que está llorando.

—Daniel mató a Silvia, Alex. Se acabó. Ya tienes el final de la historia.

JAN

—¿Aún estás fuera?

—Sí, pero en una hora salgo para allá. Hostia, Jan, no puede ser, no puede ser Silvia.

—Todo apunta a que sí.

—Llegaré esta noche, mañana nos vemos.

—Josep ha vuelto a hablar conmigo.

—Lo sé. Está destrozado. Todo ha sido por mi culpa. Todo, desde el principio, yo no quería… Joder, no, así no…

ALEX

Cuando a las ocho de la tarde llego a Montseny, después de haberle dado muchas vueltas a si es buena idea aparecer por aquí, ya hay algunos periodistas merodeando, pero son pocos. Aún tienen que llegar más, y no me cabe duda de que vendrán, si no es esta noche, será mañana, y la discreción con la que se está tratando el hallazgo del cadáver de Silvia desaparecerá.

En lugar de ir al hostal, subo por el camino sin asfaltar que conduce a la granja y, en la cuesta empinada para entrar, me río de puro nervio cuando no puedo evitar cerrar los ojos con fuerza para no ver cómo destrozo las ruedas del coche. Al bajarme, percibo que la noche, de tan clara, parece quebradiza. Las briznas de hierba captan la pálida luz de la luna y centellean como dientes afilados. En los árboles, las hojas mustias se mecen en las ramas como hombres recién ahorcados. Un escalofrío me recorre la espina dorsal al visualizar a Daniel colgado de un árbol idéntico al que ahora miro.

La verdad ha resultado ser más extraña que la ficción. A veces pasa.

Avanzo sabiendo que Jan está en casa; hay luz dentro. Antes de llamar, miro por la ventana como una intrusa, pero no lo veo. La chimenea está encendida y hay una olla en el fuego. Me basta un solo golpe en la puerta para que Jan venga a abrir sin saber quién hay al otro lado. No esperaba que fuera yo, lo veo reflejado en el asombro que demuestra, en la crispación repentina de su cara. Acaba de salir de la ducha. Su pelo corto sigue aún mojado, y su cuerpo parece destilar una humedad sofocante con aroma a jabón. No sé si abrazarlo sería adecuado, pero, por miedo a que me aparte o me rechace, lo evito, a pesar de sentir todo el dolor que me transmiten sus ojos.

¿Cómo alguien pudo pensar que Jan le hizo daño a su prima? ¿Cómo pudieron llegar a sospechar de él? ¿Por qué escribí el puto libro incriminándolo y dándole más problemas de los que ya tenía?

En el fondo, me alivia que hayan descubierto la verdad, aunque esperaba otro final, sinceramente. Pese a que fui una de las que pensaba lo contrario, de veras quería creer a quienes apostaban por que Silvia estaba viva, escondida en algún lugar, lejos, por voluntad propia. La respuesta ha tardado tres años en llegar, demasiado tiempo, y aun así estoy convencida de que mi novela lo ha acelerado todo. Me entristece que Cati muriera sin saber qué le ocurrió a su hija, aunque, si es cierto eso de que los que se van antes que nosotros nos esperan en la luz, ya deben estar juntas en otra dimensión en la que deseo que encuentren la paz que no tuvieron aquí.

—¿Qué haces? —pregunta Jan bruscamente, con la mano apoyada en el marco de la puerta para impedirme el paso.

—Quería verte.

Como creo que me va a cerrar la puerta en las narices, ya estoy pensando en la posibilidad de dormir esta noche en el hostal. Me dan miedo las curvas cerradas de la carretera y la bruma densa que se acumula en ellas. Cuando he salido de Barcelona ya era de noche y me ha costado Dios y ayuda llegar sana y salva. Sin embargo, puede que no sea necesario un plan B cuando veo que Jan se aparta y me hace un gesto con la mano para que entre.

—¿Quieres tomar algo?

—¿Tienes vino?

—Sí.

—Una copa no me iría nada mal.

—Puedes sentarte.

Retraído, señala el sofá frente a la chimenea. Me quedo mirando hipnotizada las llamas mientras Jan trajina en la cocina en busca de la botella. Después de descorcharla, saca dos copas de algún armario y el chorro de vino cayendo en el cristal inunda el silencio de la estancia. Tarda un poco en acercarse a mí, como si pensara que no es buena idea, pero, cuando al fin lo hace, me tiende la copa sin mirarme a los ojos y se sienta a mi lado. Hace ademán de decir algo. Oigo el chasquido de la lengua contra los dientes cuando abre la boca, la palabra a punto de tomar forma hasta que el sonido de mi móvil llena la casa. En la pantalla aparece el nombre de Cesc. Qué oportuno.

—Cógele el móvil a tu novio.

Sonrío y niego. Rechazo la llamada, pongo el móvil en silencio para que no nos vuelvan a interrumpir y le enseño los wasaps que Daniel me mandó antes de suicidarse.

—¿Y estos dos que aparecen como eliminados?

—Bromas macabras del sistema de WhatsApp. Quizá soy la última persona con la que intentó comunicarse.

—No. Le mandó el mismo mensaje a mi tío.

—¿A tu tío? —me extraño—. ¿Cuándo?

—Sobre la misma hora, las doce y media. Él le contestó, pero Daniel no escribió más. Esta mañana unos excursionistas lo han encontrado colgado de un árbol. Tenía las manos llenas de tierra; estuvo escarbando antes de suicidarse. Bajo sus pies había hecho un agujero donde han desenterrado lo que quedaba de Silvia. Me ha llamado mi tío hace media hora. Le han dado prioridad a la identificación y acaban de confirmar que es ella.

—¿Qué más se sabe? —pregunto con la piel de gallina.

—Ya estás otra vez con tus interrogatorios de mierda, joder. Solo te falta la puta grabadora ahí encima. —Lo suelta con tanta rabia e impotencia que me quedo paralizada. Debe percibir mi miedo porque, a continuación, tras apurar el vino, suaviza su tono y añade—: No quiero a la periodista, Alex.

—La periodista desapareció hace tiempo.

Emite un suspiro hondo, se levanta, coge un mechero y un par de cigarrillos del paquete de tabaco que tiene sobre la mesa. Me da uno, me fijo en que le tiembla la mano, y vuelve a sentarse. Juega un poco con el cigarro, balancea la copa de vino vacía, me mira con un atisbo de desconfianza, como cuando nos conocimos, y me ofrece fuego. De perdidos al río; oficialmente he vuelto a fumar.

—El informe preliminar —empieza a explicar— apunta a que Silvia murió por un traumatismo craneoencefálico severo, seguramente la misma noche en la que desapareció. Un golpe en la cabeza mortal que pudo ser accidental o… Lo más seguro es que Daniel le produjera la fractura con un objeto duro y punzante, no se sabe. Después de tanto tiempo y con el asesino muerto no darán con ello, claro, y la autopsia no será tan detallada como si la hubiesen encontrado al principio. Ahora ya no es más que huesos, Alex —añade con la mirada perdida en las llamas del fuego.

Hace días que no se afeita, se le han endurecido las facciones y tiene unas ojeras profundas, signo de que lleva días sin dormir.

—Pero no tiene sentido —rebato extrañada—. Si lleva

tres años enterrada ahí, habrían dado con ella durante los trabajos de búsqueda.

—No le des más vueltas, no puedo más —se exaspera frotándose la cara—. Hacía tiempo que mi tío no me hablaba. Ya ni siquiera recordaba cómo era su voz. Cuando ha venido esta tarde estaba deshecho, horrorizado y aliviado al mismo tiempo por haber encontrado a Silvia por fin. Por saber qué le pasó y, sobre todo, quién fue. Arrepentido por todo lo que me ha hecho, por haberme creído culpable. Se dio cuenta este verano de que algo no iba bien con Daniel y empezó a creer que pudo ser él. Por lo visto, no se equivocó, y a mí me habría gustado matarlo con mis propias manos.

—No digas eso. Tú no eres como él —le digo guardándome las ganas de preguntarle qué supo Josep Blanch para sospechar del yerno *perfecto*. De qué se enteró cuando lo golpeó aquella noche en el bar; dudo mucho que la rabia que vi procediera solo de la alerta que le dio Jan. Recuerdo las cicatrices en su espalda, ocultas bajo el jersey marrón que lleva puesto, y me conmueve la necesidad que tiene de perdonar a su tío después de todo lo que le hizo sufrir cuando la vida ya se había encargado de azotarlo sin compasión.

Bebo vino para disimular que estoy incómoda porque no me atrevo a preguntar nada más. No puedo defender lo indefendible y lo que parece tan evidente, pero algo no cuadra en el giro de los acontecimientos. Todo resulta demasiado fácil, demasiado obvio. No era esto lo que tenía que ocurrir. Nunca es lo que tiene que ocurrir, nadie nos prepara para algo así, pero ocurre todos los días en cualquier parte del mundo, y, como en esta ocasión, a veces más cerca de lo que creemos.

—Lo siento mucho —digo no solo por romper el silencio, sino con verdadera emoción.

—Creo que estábamos preparados para algo así, ¿sabes?

—reconoce contemplando el fuego con el cuerpo echado hacia delante, los codos apoyados en las rodillas, las dos manos meciendo la copa de vino que ha rellenado—. Si algo no te pilla por sorpresa, no duele tanto. Eso es lo que quiero creer, aunque a lo mejor aún no lo he asumido del todo.

—¿Cómo asumir algo así? —pregunto. Pero no obtengo respuesta. Ni siquiera parece que me haya escuchado.

—¿Quieres cenar algo? —Se levanta y va a la cocina—. He hecho judías con patatas. No mucho, no esperaba visita, pero nos podemos apañar.

—No tengo hambre, gracias —contesto terminando el vino—. ¿Puedo…? —señalo la botella.

—Como tú veas.

La noche de hoy me está sorbiendo hasta la última neurona que me queda; lo único que puedo hacer es beber. Me sirvo más vino mientras Jan engulle la cena. También fumo, como si de repente tuviera una necesidad imperiosa de volver a llenar de humo mis pulmones y ensuciar mi cuerpo de nicotina y alquitrán para contrarrestar casi dos años de limpieza. Jan sigue abatido. Supongo que espera que le diga que me voy, pero, pese a la tensión que hay entre los dos, la verdad es que no me apetece. Además, creo que esta tercera copa de vino me ha dejado un poco colocada, borracha no puedo conducir, así que me acomodo en el sofá sin intención de levantarme y contemplo las llamas, que siguen en pleno apogeo consumiendo la leña.

—¿Dónde está la foto? —pregunta de repente.

—¿Qué foto?

—La que encontraste.

—La foto de Silvia —murmuro.

Estas cuatro palabras arden en mi boca dejando una quemadura salvaje y limpia como la nieve, que consiguen arrebatarme el aliento.

—Sí. ¿Dónde la encontraste? —insiste.

—En lo alto del armario de tu dormitorio. Se nota que no limpias mucho ahí arriba.

Dios. Ya no sé ni lo que digo.

Se me cierran los párpados. ¿Qué hora debe ser? Miro el móvil: las diez y diez. Al tenerlo en silencio, las llamadas de Cesc no han sonado, los wasaps silenciados se quedan sin leer y los correos electrónicos y notificaciones de redes sociales pueden esperar.

Que le den al mundo.

Jan está en su dormitorio, aunque hace rato que no le oigo ni respirar.

—¿Estás bien? —pregunto elevando la voz, aunque no hace falta gritar tanto porque la casa es pequeña; el dormitorio queda al lado, cerca de donde me encuentro. He oído los pasos de Jan dirigirse hasta allí, subirse a una silla porque, aunque es alto, el armario es demasiado grande incluso para él. Ha debido encontrar la foto, cubierta de polvo por el tiempo que lleva ahí, y quizá se ha quedado en *shock* como cuando yo la descubrí—. Jan, ¿estás bien? —repito más bajito mirando a la puerta entreabierta.

Al levantarme, me mareo. Las brasas de la chimenea parecen haberse multiplicado, pero, apoyándome en todo cuanto encuentro a mi paso, consigo llegar hasta el dormitorio. Jan, de pie, frente a la cama, sostiene la foto en las manos, con el ceño fruncido, tratando de comprender. Intento leer la expresión de su cara.

—Jan… —murmuro.

Me aparta de un manotazo, como si yo fuera otra persona a la que no quiere ver, y a grandes zancadas va a la chimenea y arroja la fotografía al fuego.

Quisiera volver a preguntarle quién le hizo esa foto a Silvia. Por qué aquí en la granja, en su cama. Es un buen lugar para esconderse, para que Daniel no descubriera la doble vida que parecía llevar su novia, motivo suficiente para cabrearlo aunque no sea ninguna excusa para hacer lo que hizo. Pero ¿quién? ¿Quién se acostaba con ella? ¿Quién era su amante? ¿Por qué nadie, salvo Jan, parece saberlo, con lo pequeño que es este pueblo?

—Supongo que Carlota también vio la foto e imaginó que tú y ella… Yo también lo pensé. De hecho —me río, aunque no debería—, la encontré por una tontería. Mi sujetador estaba allí arriba, siempre he maldecido ser tan bajita, no llego a ninguna parte y…

—Cállate. Puedes dormir en mi habitación. Déjame solo.

Lucho contra el impulso de salir de su casa. Si cojo el coche ahora, es probable que acabe teniendo un accidente, tirada en un barranco, en mitad de esta noche fría. Moriría, si no del golpe, por congelación, así que le hago caso y, en silencio para no molestar, me tumbo en su cama, lista para una noche en vela. Para mi sorpresa, el sueño me vence. Las copas de vino han ayudado, desde luego.

No obstante, es un duermevela breve, interrumpido por una pesadilla en la que aparece Silvia Blanch. Está colgada de un árbol en las profundidades del bosque. Una cuerda gruesa de esparto rodea su cuello, la asfixia, pero no puedo hacer nada por ella, me es imposible moverme. Mis pies, enterrados bajo la tierra húmeda, se han convertido en raíces; lucho por escapar de aquí. Cuando miro hacia abajo, me doy cuenta de que es inútil. El suelo se ha convertido en arenas movedizas que me engullen y me van a hacer desaparecer para siempre de la faz de la tierra. Silvia abre los ojos. Despierta. Esos ojos verdes que he visto en multitud de ocasiones me están mirando y, en cuanto abre la boca para decirme algo, me despierto de un sobresalto, pataleando y dando manotazos, sin saber dónde me encuentro.

Aunque todo está en silencio, noto las reverberaciones de un eco en el salón. Un grito, quizá, que acaba de salir de mi boca. Espero a que Jan se despierte. Es posible que me haya oído. O a lo mejor ni siquiera he gritado, no sé. Puede que solo haya sido en el maldito sueño. Recostada sobre el cabezal de hierro, vuelvo a cerrar los ojos, pero la voz de Jan termina por desvelarme. Creo que está hablando por teléfono en el salón. Parece cabreado. Como si fuera una cotilla aficionada, voy de puntillas hasta la puerta para oírlo mejor.

JAN

—¿Qué pasa, Jan? Voy conduciendo, estoy llegando.

—La puta foto. La he visto.

—¿Dónde estaba?

—En lo alto del armario de mi habitación.

—Siento que hayas tenido que verla, sobre todo ahora. Fue un juego de Silvia.

—¿Un juego?

—Una tarde trajo su cámara Polaroid, esa que llevaba a veces, la que imprime fotos al momento. Jugamos, le hice algunas fotos en la cama, algunas las quemamos y dijo que… Hostia, Jan, ni me acordaba de eso. Dijo que había conservado una y la había escondido, que sería nuestro secreto y que nadie la encontraría nunca. Se me olvidó por completo que la foto seguía ahí.

—Esa foto me ha arruinado la vida.

ALEX

El sol reluciente de la mañana entra por la ventana en un haz diagonal que aterriza justo en mi almohada. Claro y afilado, siento como si me clavaran agujas en las retinas. Me levanto aturdida, la habitación da vueltas. Por fin recuerdo dónde estoy. Llevo la misma ropa con la que llegué anoche a la granja, apesto a sudor, a alcohol y tabaco; necesito una ducha urgente.

Al encender el móvil, veo que Cesc me ha estado llamando toda la noche, por lo que decido zanjar el tema enviándole un wasap que solo dice una verdad a medias. Lo lee al momento, puede que no haya dormido por mi culpa, y responde con un simple: «Ok. Estoy en el hospital». Un alivio saber que, por el momento, no me va a llamar más. Me calzo las deportivas y salgo a tientas de la habitación, como si al otro lado me esperara un monstruo con el que temo encontrarme. Desde el umbral de la puerta, veo a Jan de espaldas. Tiene las manos apoyadas en la encimera de la cocina, la espalda rígida, en tensión, mientras espera que la luz de la cafetera se ponga de color verde.

—Buenos días —saludo sin acercarme.

Se da la vuelta y me mira con los ojos hinchados, envuelto aún en la bruma del sueño. La luz del sol entra a raudales por las ventanas y difumina sus facciones de tal forma que me cuesta descifrar su expresión.

—Estoy preparando café. Puedes acercarte, no muerdo —me invita adivinando mis pensamientos.

—¿Con quién hablabas anoche? —me atrevo a preguntar sentándome a la mesa.

—Pensaba que estabas dormida.

—Me desvelé.

—No es nada importante —dice con calma.

—Yo creo que sí lo es. Hablabas de la foto.

—Te he dicho que no es nada importante, Alex, no insistas, por favor —repite ahora molesto, como si el mero hecho de verme respirar le incordiase.

—¿Se sabe algo de…?

—No, no sé nada de nada ni de nadie —responde cansado.

—Me gustaría ir al bosque.

—¿A qué? —pregunta sin mirarme—. Debe estar lleno de policías o de periodistas, quién sabe.

—Necesito saber dónde estuvo enterrada Silvia. Dónde encontraron a Daniel o qué…

—Para ya, Alex. ¿Qué te pasa? Eres una puta morbosa.

—Tampoco hace falta que me insultes —replico enfadada.

—Lo siento. Estoy nervioso, ¿vale? No sé qué es lo que va a pasar.

—Te gusta mantener el control de la situación, Jan, es normal. Pero hay cosas que se nos escapan de las manos. Entiendo que no era el final que esperabais, pero tiene que haber algo más… No creo que Daniel fuera capaz de matarla.

—Tú dijiste que te acosó durante meses. Un tío que miente sobre lo que hizo el día en el que su novia desapareció puede ser capaz de cualquier cosa.

—¿Y acabar así con su propia vida después de tres años? No. No me lo creo —insisto.

—Tu libro ha supuesto un interés mediático que no tenía previsto. Quizá eso lo ha empujado a desvelar la verdad y a quitarse la vida —razona sirviéndome una taza de café con un par de terrones de azúcar al lado.

—No me hubiera mandado un mensaje diciéndome que quería hablar conmigo —le contradigo—. ¿Y qué me dices de los dos mensajes que eliminó antes de enviar el último horas más tarde?

—Dejó una nota de suicidio, Alex.

—¿Una nota de suicidio? —me sorprendo.

Jan se sirve su café y se sienta a la mesa frente a mí.

—Sí. En ella decía que mató a Silvia por celos, pero que la culpa no lo dejaba vivir. Pedía disculpas por todo el daño ocasionado.

—Me sigue pareciendo raro.

Jan no tiene tiempo de insultarme o de volver a decirme que deje el tema porque alguien toca a la puerta con insistencia. Jan me mira, quizá pensando en si es buena idea que me vean aquí. Se asoma a la ventana para cerciorarse de que no sea ningún periodista, aunque cuando veo quién entra lo hubiera preferido. La reacción del padre de Silvia me acobarda; no lo había vuelto a ver desde aquella noche en la que golpeó a Daniel y me dijo que me fuera del pueblo, que esto estaba lleno de monstruos. Han pasado muchas cosas desde entonces. Demandas que interpuso contra la editorial y contra mí que no llegaron a buen puerto para él; lo único que consiguió es que un juez se riera en su cara por culpar a una novela del suicidio de su mujer.

—¿Qué hace esta aquí?

Es la rabia.

Rabia desatada, rabia de mil demonios.

En cuanto Josep Blanch hace la pregunta con el mayor de los desprecios y los puños apretados, como conteniéndose para no darme una paliza, me levanto de la silla y doy un paso atrás hacia el sofá.

—Tranquilo, tío. Alex es una amiga —lo detiene Jan interponiéndose entre nosotros.

—¿Esta puta es amiga tuya?

—No. Me refiero a que no supone ningún peligro —aclara.

—¡Mi mujer está muerta por culpa de tu puto libro! —me grita fuera de sí.

—Señor Blanch, lo siento muchísimo —gimoteo con lágrimas en los ojos por la impresión—. No quise hacer daño a nadie, no…

—Será mejor que salgamos —interviene Jan llevándose a su tío al exterior.

Los observo desde la ventana. Josep Blanch, igual de exaltado, habla con Jan, pero no es capaz de mirarlo a la cara. Su sobrino lo sujeta del brazo para intentar calmarlo, pero Josep se zafa de él para señalar el camino que conduce a la granja, donde distingo algunos coches. Periodistas. Ya están aquí. Voy corriendo a la habitación para coger mi móvil. Nada más introducir en el buscador el nombre de Silvia, saltan las alertas. Información de última hora, fotos, el nombre de Daniel y cómo se suicidó. Están por todas partes, es una locura.

Leo los titulares del tirón, como un trago desagradable.

DESPUÉS DE TRES AÑOS SE ACABÓ LA BÚSQUEDA
APARECEN LOS RESTOS DE SILVIA BLANCH JUNTO AL CADÁVER
DE SU NOVIO, DANIEL SEGURA, SU VERDUGO

DANIEL SEGURA SE SUICIDA TRAS CONFESAR QUE MATÓ A
SILVIA BLANCH
EL ÚLTIMO VERANO DE SILVIA BLANCH. ASÍ TERMINA SU HISTORIA

El morbo periodístico me provoca náuseas. Por eso nunca llegué lejos en mi carrera, porque no soy como ellos, aunque al escribir la novela caí más bajo que todos los autores de estos titulares sensacionalistas.

—Tienes que irte —se apresura a decir Jan nada más entrar en casa cerrando la puerta de un golpe—. Coge el coche y sal por arriba. Encontrarás otra carretera que te llevará hasta la salida del pueblo. Los periodistas están abajo, será mejor que no te vean.

—No puedo irme así.

—No quisiera tener que echarte a patadas de mi casa, Alex —dice, aunque mi nombre sale de su boca con un temblor de inseguridad.

Media hora más tarde, abandono el pueblo atestado de periodistas pensando en Jan y en todas las barreras invisibles que hay entre nosotros. Ralentizo la marcha en el lugar donde encontraron hace casi tres años y medio el último rastro de Silvia Blanch. Me retuerzo en el asiento agobiada de pronto por un calor insoportable. Noto la frente sudorosa. La zona boscosa al lado de la carretera tiene el precinto amarillo; está acordonada. Veo policías y técnicos de la Científica con sus buzos blancos en busca de pruebas. Un agente uniformado está en medio de la calzada escuchando una radio con interferencias sujeta a su hombro. Me detengo en el arcén sin apagar el motor. Alguien ha dejado un oso de peluche abrazando un corazón en el árbol contiguo al que usó Daniel para ahorcarse. En una pancarta garabateada con prisas leo: «Justicia para Silvia».

Estoy tan ensimismada en el escenario donde aparecieron sus restos que no me percato de que una avalancha de periodistas viene corriendo hacia mi coche. El ambiente está cargado de electricidad, es frenético; los periodistas forman un torrente humano que me recuerda a la marea de ratas de *El flautista de Hamelín*. Me están fotografiando, algunos hablan en directo mientras las cámaras que los graban me enfocan. Antes de que se peguen al cristal de la ventanilla, piso el acelerador con fuerza para escapar de aquí.

Jan tiene razón. Lo mejor es que me vaya. Nada de riesgos, de hacerme la sabueso intrépida; mejor no suscitar ni la menor sospecha. Que deje todo esto atrás, que me olvide y lo almacene en algún rincón de mi memoria.

JAN

—Tu amiga la periodista está aquí.

—Le dije que no volviera.

—Ya ves que no se le da bien obedecer. Habrá que darle un susto, ¿no?

ALEX

No lo he podido evitar. Como si fuera mi obligación estar aquí presente en el camposanto donde se están despidiendo de Silvia. He tratado de ser discreta, pero creo que me han visto y, como no salga corriendo, voy a meterme en problemas.

Hace una hora no cabía un alfiler en la iglesia donde han celebrado una breve y emotiva misa, pero el adiós definitivo, retrasado por todos los trámites de la autopsia, han decidido celebrarlo en la intimidad. En el cementerio únicamente están Josep Blanch, su hija Cristina con Marc, el tío Artur y, a su lado, Jan, reconciliado con su familia después de todo. Los cinco observan apenados cómo dos hombres colocan la lápida en el nicho de Silvia.

Hace un rato Jan me ha visto. Mi carrera como detective sería nefasta.

La prensa sigue en el pueblo. Ha ocurrido algo que lo ha desbarajustado todo cuando creían que habían dado con la verdad de lo que ocurrió aquella noche del verano de 2017. Daniel, antes de su supuesto suicidio, consumió una copa de vino. No debió beber solo. Debía haber alguien con él en su casa que echó una gran cantidad de amoxapina, un potente antidepresivo con acción sedante indicada para el alivio de los síntomas de depresión en pacientes neuróticos.

En el organismo de Daniel se encontró una dosis capaz de tumbar a un caballo. El vino y la amoxapina se descubrieron a raíz de los análisis de toxicología que se le practicaron. Sin ellos, todo el mundo seguiría pensando que se suicidó y que fue el asesino de Silvia Blanch, pero los titulares ahora son:

¿QUIÉN QUISO QUITAR DE EN MEDIO A DANIEL SEGURA?

DE ASESINO A VÍCTIMA. DANIEL SEGURA NO SE SUICIDÓ

SIGUEN LAS INCÓGNITAS: ¿QUIÉN MATÓ A SILVIA BLANCH?

Cuando el informe de toxicología encendió todas las alarmas, una unidad de la Policía Científica fue a casa de Daniel, algo que tendrían que haber hecho desde el principio, en lugar de dar por sentado que había ido al bosque por su propio pie a quitarse la vida. Como había dejado una nota de suicidio con la confesión de que había matado a Silvia por celos, no pensaron que el escenario fuera distorsionado por el verdadero culpable. Un trabajo aparentemente limpio y perfecto de no haber sido por la revelación de la autopsia.

En el comedor de Daniel encontraron dos cercos de merlot seco en la mesa formados por los pies de dos copas que habían desaparecido. Uno de esos cercos contenía amoxapina; el otro no. No hallaron indicios de violencia o de que hubieran forzado la entrada, por lo que suponen que Daniel le abrió la puerta a alguien de confianza. La pregunta que todo el mundo se hace es: ¿A quién dejó entrar en su casa? ¿Con quién bebió vino? ¿Quién le echó esa droga en el merlot, se llevó las copas y también el móvil de Daniel, del que nunca más se ha vuelto a saber? ¿Quién arrastró su pesado cuerpo hasta el bosque y lo colgó de un árbol? Alguien con mucha fuerza, desde luego. Un hombre. O dos. Lo que la Policía aún no sabe es que Daniel me mandó un wasap y eliminó otros dos antes de escribir el definitivo horas más tarde, el mismo que también recibió Josep Blanch. Manteniendo mi silencio, incluso cuando en alguna entrevista a lo largo de estos últimos días me han pedido mi opinión, siempre supe que había algo raro, y el tiempo y la autopsia de Daniel me han dado la razón. Daniel no mató a Silvia, pero que ella le fuera infiel le vino bien a quien sí lo hizo, y el último mensaje que recibimos Josep Blanch y yo no lo escribió Daniel:

«Voy a llevarte hasta el lugar donde enterré a Silvia».

Ahora sé que lo envió el asesino de Daniel, probablemente el mismo que hizo desaparecer a Silvia.

—¿Qué haces aquí? Te dije que no volvieras.

Mierda.

Jan me ha pillado *in fraganti*. Me coge con fuerza del brazo; su cara amenazante, muy cerca de la mía.

—No —me enfrento a él envalentonada, tratando de mantener la calma—. Me dijiste que me fuera, no que no volviera. Es un país libre, ¿no? Y suéltame. Me haces daño —me zafo de él sin que se resista.

—Tienes suerte de que mi tío no te haya visto —dice con la voz ronca por la extenuación y la pena. Se encoge de hombros y mira en dirección a la tumba de su prima—. La han enterrado en el nicho que hay encima del de su madre.

—Lo siento mucho, Jan.

—Y ahora, con todo lo que ha pasado con Daniel...

—Te lo dije. Te dije que veía algo raro —susurro. Temo que haya espías hasta en las ramas de los cipreses de este cementerio.

—Deja que los profesionales hagan su trabajo y no te metas —me aconseja.

—Por lo pronto, voy a quedarme aquí unos días.

—¿Y qué dice tu novio de eso?

—¿Qué novio?

Cesc me dejó hace una semana. No hubo lágrimas ni dramas…, nada de nada. No es nuestro estilo. Cesc tomó la iniciativa:

«Será mejor que lo dejemos».

«Sí, será lo mejor», afirmé yo con gusto.

Así que recogió sus cosas de mi apartamento, lo cual me produjo un gran alivio, y se fue sin un último abrazo, ni un último beso ni un último polvo. No ha vuelto a dar señales de vida. Ojalá le vaya bien.

—Tu novio —insiste.

—Ya no hay novio.

—Porque no hay quien te aguante.

Y, tras este derroche de galantería, Jan me da la espalda y se va dejándome sola en el camposanto con los muertos, incluida Silvia Blanch.

27 DE JULIO DE 2017
CUATRO HORAS ANTES DE DESAPARECER
—

SILVIA

Cuando regreso a mi despacho, tras una tranquila reunión de despedida con el que pronto será mi exjefe, lo primero que hago es mirar por la ventana. Daniel ya no está en la calle, pero no puedo fiarme. Puede que intuya que lo he visto y se haya escondido en alguna esquina o incluso en la entrada, de la que no tengo visibilidad desde aquí.

Miro mi móvil. No hay ningún wasap de Daniel, solo de él. Hace diez minutos me ha escrito un mensaje en el que dice que necesita verme, que haga lo posible por escaparme.

> **Silvia 18:00**
> En media hora estoy contigo.

ALEX

Montse, que mantiene el riguroso negro con el que ha acudido a la misa, parece tener ganas de hablar.

—Vaya empeño el tuyo de meterte donde no te llaman. Yo es que no tengo ni idea de por qué sigues aquí.

—¿Quieres que te diga la verdad?

—No me gustan las mentiras —declara seriamente ajustándose las gafas.

—A lo mejor tendría que haberme limitado a escribir aquel artículo y desaparecer, pero volví. Me obsesioné. Y luego escribí una novela con la que hice creer a la gente que Jan mató a su prima y que estaban liados. Por si fuera poco, dos semanas después de que saliera a la venta, Cati se suicidó. No me lo podré perdonar nunca, Montse.

—Pobre Cati, en paz esté —se lamenta persignándose—. Respecto a Jan, seguro que te ha perdonado. Tiene buen corazón. ¿Aún no lo sabes?

Me gustaría creer que es buena persona. Yo, en su lugar, jamás hubiera perdonado a su tío, pero él parece haberlo hecho sin remordimientos ni sed de venganza, empatizando con el dolor que siente Josep por la muerte de su hija. Pero el trato descortés que me ha dedicado en el cementerio y sus ganas e insistencia para que me vaya de aquí y no vuelva me han hecho desconfiar y pensar cosas raras.

—No hace más que pedirme que me vaya.

—Porque quiere protegerte.

—¿A mí? ¿De qué?

—Hay un asesino suelto, Alex. ¿Qué pasaría si se entera de que, después de tanto tiempo, sigues empeñada en descubrir qué pasó?

—Yo no estoy empeñada en descubrir nada —miento.

—Siempre creí que Daniel no era culpable, pero era perfecto para utilizarlo como cabeza de turco. Eso fue lo que lo llevó a la tumba. Pobre chico —se lamenta negando con la cabeza—. Con toda la vida por delante…

—En algo estamos de acuerdo.

Hay pocas cosas en esta vida que me diviertan más que hacer lo contrario a lo que me digan. Cuando me aseguro de que los periodistas se han ido del pueblo, salgo del hostal evitando a Montse y sus consejos de madre y voy caminando hasta L'Estanc a ver qué se cuece por ahí. Saludo al camarero, que sin preguntarme me sirve una cerveza alemana fría. Le recuerdo que la última vez que bebí esa cerveza salí un poco perjudicada de su local.

—Un día es un día.

Me guiña un ojo y se va a la cocina, donde sé que trabaja su mujer. Oigo murmullos, supongo que estarán hablando de mí, pero no les presto atención y me limito a beber la cerveza. Veo a dos ancianos indiferentes a mi presencia echando una partida de cartas. Una mujer pensativa bebe café sentada a la mesa del fondo. Miro en dirección al taburete que tengo al lado y no puedo evitar pensar en Daniel, pero no lo visualizo ahí, sino en Barcelona, en la calle donde vivo, mirando en dirección a mi balcón. También puedo verlo en el metro, atento a mis movimientos, caminando detrás de mí cuando iba a hacer cualquier recado o desistiendo cuando una noche me vio con Cesc. Daniel no era peligroso, solo estaba enfermo. Y me entristece pensar que ahora esté muerto.

Termino la cerveza, dejo dos euros en la barra y, animada por la decisión que llevo meditando todo el día, enfilo hacia el número cinco del Passeig de la Font. La casa amarilla. La que compartieron durante cinco años Daniel y Silvia. Son las siete de la tarde, el cielo oscuro, encapotado y con amenaza de lluvia. No hay nadie en la calle, el pueblo parece un lugar inhóspito e inseguro cuando me planto frente a la puerta. Hay muchos vídeos en Internet que te enseñan a forzar cerraduras, pero la historia cambia cuando lo intentas. Por más que forcejeo introduciendo la tarjeta de crédito entre la jamba y el resbalón, no hay Dios que pueda abrirla. Un intento, dos, tres…, el mecanismo no cede. Es inútil. Soy una inútil.

—Mierda —maldigo sintiéndome estúpida y torpe.

Me doy la vuelta.

—¿Querías algo? —pregunta una voz a mi espalda que reconozco al instante.

Cristina, la hermana de Silvia, sale por la puerta que segundos antes he intentado forzar. Me muero de la vergüenza.

—Perdona, no sabía que había alguien en casa.

—¿Estabas tratando de entrar a la fuerza? —pregunta a la defensiva—. ¿Con una tarjeta? —ríe.

—¿Yo? No —disimulo.

—Anda, ven.

Tímidamente, arrastro mis pies hasta el interior de la casa. Cristina enciende la luz del comedor, donde se respira orden, además de cierta desolación. Aquí no hay nada que delate que tuviera lugar un asesinato; atrás han quedado las tareas de búsqueda en este espacio. Cristina, como adivinando mis pensamientos, se adelanta a mi pregunta al percatarse de que estoy mirando la mesa donde debieron encontrar los cercos de las copas de vino, uno de ellos con los restos de amoxapina triturada que sedaron a Daniel para llevarlo hasta el bosque y colgarlo de un árbol.

—Salvo los cercos y los restos de droga, no han encontrado nada más. No hay huellas.

Habla serena, sin ese mal humor que percibí en ella al principio, pero su rostro desencajado, las ojeras y los ojos rojos la delatan. Está pálida, demacrada, transida por el dolor. Ha perdido peso desde la última vez que la vi. Está sufriendo.

Nos sentamos a la mesa y Cristina trata de esbozar una sonrisa impuesta que no le termina de salir.

—Creerás que estoy loca —empieza a decir—, pero soy la única que te agradece que escribieras ese libro.

—¿Por qué?

—Porque, a pesar del sensacionalismo y los titulares morbosos, se descubrieron muchas cosas. La gente volvió a recordar a mi hermana.

—Era ficción. Y todo ha resultado ser mentira.

—Pues yo sigo creyendo que Jan y mi hermana tenían algo. Siempre lo he creído y no soy la única, aunque mi padre me diga que estoy loca. Él siempre desconfió de Daniel, nunca le gustó, pero yo no te mentí cuando te dije que era lo mejor que le había pasado a mi hermana. Bueno, a mi padre no hay que hacerle mucho caso. Siempre ha tenido tendencia a desconfiar de todo el mundo, especialmente de los chicos que llevábamos a casa.

—No —digo recordando la misteriosa conversación que tuvo Jan por teléfono sobre la dichosa fotografía. Aquella noche Jan estaba hablando con el amante de Silvia—. Jan no era el amante de Silvia.

—¿Eso opinas? Entonces, ¿quién? Porque ahí está la clave, y lamento mucho darme cuenta de que en realidad no conocía a mi hermana. No voy a rendirme. Lo voy a encontrar. Y si fue quien les hizo algo a Silvia o a Daniel, lo va a pagar muy caro.

—Si me entero de algo…

—Me lo dirás, ¿verdad? —me pide estrechando su mano contra la mía—. Si te enteras de algo, dímelo, por favor.

—Claro —asiento confusa.

—Quienquiera que matase a mi hermana le propinó un fuerte golpe en la cabeza que terminó con su vida. Todo indica que el lugar inicial en el que escondieron su cadáver no fue donde lo han encontrado. No sabemos dónde, mis compañeros no tienen nada.

—¿Tus compañeros?

—Sí, soy policía, trabajo en una comisaría de Barcelona. Es algo que afortunadamente sabe muy poca gente en este pueblo, si no, no sé qué habría pasado. No ha trascendido a la prensa y espero que siga así; llevo años detrás de un grupo organizado dedicado al narcotráfico y sería peligroso que me relacionaran con la Policía, ¿entiendes? —Asiento digiriendo la información—. Durante todo este tiempo me he mantenido discreta, en un segundo plano, dejando que fuera mi padre quien hablara en público sobre la desaparición de Silvia. Como verás, hay pocas fotografías o vídeos en los que yo aparezca, y tampoco pude involucrarme al cien por cien en la investigación debido a que el caso, por desgracia, me tocaba de cerca… Me toca de cerca —rectifica.

—Entonces, como profesional, ¿sospechas que detrás de la muerte de Daniel hay algo turbio?

—Claro —asiente sin pestañear—. Y detrás de la desaparición de mi hermana, pero estamos como al principio, solo que ahora, por desgracia, sabemos dónde está. Aquí —dice señalando el lado de la mesa donde me encuentro— había un cerco de vino. Era de la copa desaparecida, donde le metieron a Daniel todas esas pastillas trituradas que descubrieron en su organismo, aunque no ha aparecido ningún frasco ni receta del fármaco en esta casa. Su asesino se llevó las copas y su teléfono móvil y se cercioró de no dejar otras huellas. Todo un profesional. O profesionales, mejor dicho. Porque para arrastrar el cuerpo de Daniel tuvieron que ser dos hombres como mínimo. Lo malo es que, tras la autopsia, ya era demasiado tarde. La escena del crimen, esta mesa —señala—, ya estaba comprometida. Hemos entrado y salido de aquí contaminando cualquier prueba que pudiera quedar. La Policía sigue indagando, pero resulta difícil.

—Sé que Daniel le mandó un wasap a tu padre.

—Sí. Le decía que lo llevaría hasta el lugar donde enterró a Silvia, aunque ahora sabemos que no fue él quien lo escribió.

—El caso es que a mí me mandó el mismo mensaje —anuncio con reparo.

—¿A ti? ¿Por qué?

—Digamos que… mantuvimos el contacto después de una entrevista para aquel artículo —disimulo yendo con pies de plomo—. Aunque antes que ese mensaje escribió otros, dos de ellos se eliminaron antes de que me diera tiempo a leerlos. ¿Crees que hay alguna manera de descubrir qué decían?

—Déjame ver.

Saco el móvil del bolso, abro la aplicación de WhatsApp y selecciono los últimos mensajes de Daniel, que sigue apareciendo como número desconocido. Se lo entrego a Cristina, que mira con atención la pantalla.

—¿Cuánto tiempo te vas a quedar en el pueblo? —Me encojo de hombros. No lo sé—. Me voy a llevar tu móvil. Tengo un colega en la Unidad Central de Delitos Informáticos de los Mossos que me debe un favor; seguro que descubre qué esconden estos dos mensajes eliminados.

—No sé qué voy a hacer sin mi móvil.

—Es necesario, Alex —reclama—. Como policía, debo decirte que tienes la obligación de compartir conmigo toda la información de interés que obre en tu poder. Es lo que marca la ley. El hecho de que hayas ocultado estos mensajes de Daniel a la Policía no dice mucho en tu favor —añade adoptando un tono serio y profesional—. ¿Te alojas en el hostal de Montse?

—Sí.

—Mañana a primera hora te lo devuelvo.

—Vale. —Sé que no me queda otro remedio que prescindir de mi móvil durante unas horas. Va a ser una prueba difícil.

—Será mejor que siga recogiendo, hay mucho trabajo que hacer aquí.

—Claro.

Me despide con elegancia levantándose de la silla sin soltar mi móvil, que no puedo evitar mirar con recelo. No tengo nada que ocultar, pero me angustia saber que una desconocida lo tenga. Aunque Cristina no lo haya dicho expresamente, mi teléfono va a estar durante unas horas confiscado por la Policía.

—¿Qué va a pasar con esta casa?

—La propietaria la quiere volver a alquilar, aunque le costará. Nada hunde más el valor del suelo que la sangre derramada. Estoy recogiendo todas las cosas de Silvia; espero que los padres de Daniel hagan lo mismo pronto.

Me levanto y, antes de salir, Cristina llama mi atención desde el primer peldaño de la escalera que conduce al piso de arriba.

—Ten cuidado, Alex. No vayas por ahí intentando abrir puertas sin saber qué encontrarás al otro lado.

Su mensaje, directo y misterioso como la advertencia de su padre sobre los monstruos que habitan en el pueblo, me deja desconcertada. Me adentro en la oscuridad de las calles de Montseny para regresar al hostal, donde una parte de mí esperaba que Jan estuviera ahí dispuesto a beber una Coca-Cola Light conmigo y fumar un cigarrillo a medias.

Impaciente por recuperar mi móvil, salto de la cama a las nueve de la mañana. Bajo a recepción, donde Montse, tras el mostrador, está centrada en la pantalla de tubo de su prehistórico ordenador.

—Buenos días —saludo—. ¿Ha venido por aquí Cristina Blanch?

—Buenos días. No, no la he visto. No suele venir mucho.

—Si la ves, dile que estoy en el comedor desayunando.

—Se lo diré —contesta con el ceño fruncido y la mirada perdida en la pantalla.

Una hora y media y cinco cafés más tarde, espero impaciente la llegada de Cristina en la puerta del hostal con un exceso de cafeína recorriendo mis venas. Apenas hay gente, los turistas no aparecen entre semana, y hace un frío de mil demonios.

—¡Entra! ¡Te vas a congelar! —me grita Montse desde el interior.

—Estoy bien.

Algún que otro coche aparece por la cuesta, pero no sé cuál conduce Cristina, hasta que un Seat León negro aparca a mi lado.

—Siento llegar tarde —dice nada más apearse. Saca mi móvil del bolsillo de su tejano y me lo entrega—. Nada importante.

—¿Qué escribió?

—Uno era: «Por favor, contéstame», y el otro… —Hace memoria y añade—: «No me ignores».

—No tiene sentido que los borrara.

—Ya, pero era una mente perturbada.

—Pero no fue él quien...

—Quien mató a mi hermana. Puedes decirlo. —Aprieta los labios al mismo tiempo que niega con la cabeza con una mueca de dolor—. Estamos en ello. Lo pillaremos. Pillaremos a quien hizo desaparecer durante tres años a Silvia y mató a Daniel para incriminarlo. Por favor, no le digas nada a nadie sobre esto.

—Te lo prometo.

—La prensa nos está dando un respiro. Hoy no hay periodistas por el pueblo —comenta mirando a su alrededor.

—Ya tienen la noticia.

—Es triste, pero sí —se lamenta—. Me voy a Barcelona, tengo que volver al trabajo. Te he dejado mi número de teléfono personal guardado en tu agenda. Busca Cristina Blanch y, cualquier cosa de la que te enteres o si necesitas ayuda, llámame, ¿vale?

—Vale.

—Cuídate.

—Tú también.

—Gracias por prestarme el móvil. Tienes llamadas perdidas y wasaps; no he cotilleado nada, lo juro —se despide sonriendo.

Miro cómo su coche se aleja hasta que lo pierdo de vista. Es cierto que tengo varias llamadas, la mayoría de mi madre. Tiene que estar que trina.

Debo ser masoquista, pero necesito llegar hasta el final de todo esto, saber la verdad. Cojo el coche y enfilo en dirección a la granja para hablar con Jan. Nada más llegar, sé que hay alguien más; un BMW aparcado en la entrada así me lo indica. Unos gritos suenan desde los establos. Apago el motor del coche esperando que no me hayan oído llegar,

257

y camino despacio haciendo el menor ruido posible para colarme en la parte trasera, pegarme a la pared de piedra y entender qué dicen. No reconozco la voz del otro hombre. Parece nervioso, violento, fuera de sí.

Quizá si pudiera asomarme para verlo…

—Embarazada, sí. Estaba embarazada. ¿Y quién más lo sabía? ¿Eh? ¡¿Quién?! ¿Daniel lo sabía? Hacía meses que no la tocaba, ella me lo dijo, supo que ese hijo no era de él. ¡Y ahora está muerto, Jan! ¡Fin de la historia! ¡Déjalo ya, joder!

Es demasiado tarde para desaparecer cuando el hombre, al que reconozco de inmediato, sale de la cuadra y me ve. Apoya la mano en la pared, se detiene frente a mí mirándome con una rabia inusitada que me hiela la sangre y, tal y como hizo Josep Blanch el otro día, ahora es su yerno quien pregunta:

—¿Qué haces tú aquí?

Los pasos de Jan aproximándose me tranquilizan, pero no llega a impedir que Marc, el marido de Cristina, me agarre del cuello del abrigo haciéndome trastabillar hasta caer de bruces al suelo.

—¿Qué cojones haces? —interviene Jan empujándolo.

Marc le saca dos cabezas, algo que, lejos de achantarlo, parece provocarlo.

—Lo que se merece.

Cuando creo que el bestia del marido de Cristina va a abalanzarse contra mí para darme una paliza, Jan lo detiene propinándole un puñetazo en la nariz. Marc, que ha caído de rodillas al suelo, empieza a reírse como una hiena. Se pasa la mano por la nariz limpiándose la sangre que le sale a borbotones y, en el momento en que parece que le va a devolver el golpe a Jan, se limita a dedicarnos improperios alejándose hasta el BMW.

—Eres especialista en meterme en problemas, periodista —dice Jan ofreciéndome la mano para que me levante—. ¿Qué has escuchado?

—Nada —miento con la mirada fija en nuestras manos entrelazadas—. No me ha dado tiempo a escuchar nada —contesto con voz temblorosa, asegurándome de que el BMW se aleja de la granja.

—Está nervioso.

«Está nervioso. La foto. Daniel lo descubrió. Es él. Marc, el cuñado, era el amante, y lo más insólito de todo es que Silvia esperaba un bebé de él.»

—Él…

—Es el propietario de esta granja. Me tiene contratado para trabajar en ella y mantenerla, pero todo esto que ves es suyo. Marc es empresario.

—Y Cristina, policía.

—¿Cómo lo sabes? —se extraña soltándome la mano—. Casi nadie lo sabe, es muy recelosa con su trabajo.

—Ayer por la tarde estuve con ella y me lo dijo. También se llevó mi móvil para averiguar qué mensajes borró Daniel antes de que me diera tiempo a leerlos, que es para lo que he venido, aunque no era nada revelador, solo insistía en hablar conmigo —le explico—. Jan… Marc… La foto.

Jan se aclara la voz. Cuando consigue hablar, lo hace con cierto esfuerzo, como si no quisiera compartir lo que no le queda otro remedio.

—Si te digo que no, no me vas a creer, ¿verdad?

—Marc y Silvia estaban liados —deduzco.

—Desde que ella cumplió los dieciocho.

—¿Durante diez años? —me sorprendo.

—De manera intermitente, sí.

—Y cuando ha dicho que estaba embarazada, ¿se ha referido a ella? ¿A Silvia?

—Sí.

—¿Él lo sabía?

—No. Se enteró más tarde.

—Pero ¿él pudo hacerle algo? ¿También a Daniel?

—Es un cabrón, pero no. Y cuando Daniel apareció muerto, Marc estaba en Zaragoza, así que no pudo ser él. Por favor, Alex, te lo suplico. No digas nada. Si dices algo, estoy perdido.

—Lo estás ocultando porque si se enteran de que Marc era el amante de Silvia pueden sospechar de él.

—No es solo por eso. También por Cristina. —Registra todo a su alrededor—. Es mejor que entremos en casa.

Una vez dentro, enciende un cigarrillo, le da dos caladas y me lo pasa. No puedo evitar sonreír cuando me invaden los recuerdos de aquel verano, pese a las circunstancias actuales.

—Marc está dominado por Cristina. Si la deja, se queda sin nada, y además, ella desde su posición lo protege.

—¿De qué?

—Marc trafica con drogas, es de donde más dinero saca para mantener el resto de sus negocios. Si no fuera por eso, seguramente estaría en la ruina.

—Pero si precisamente Cristina me dijo que lleva tiempo trabajando para atrapar a unos narcotraficantes, es inverosímil que proteja a su marido por el mismo asunto —replico confundida.

—En casa del herrero, cuchillo de palo, ¿no? A Cristina le importan una mierda los negocios turbios en los que ande metido Marc mientras no le falte dinero.

—¿Y Silvia sabía que Marc trafica con drogas?

—Lo dudo. Al menos, nunca me dijo nada.

—Cristina me pidió que si me enteraba de algo se lo contara.

—No puedes decirle nada. No hables con ella, ni te acerques.

—Pero cree que tú eras el amante de Silvia. ¿No te importa?

—A estas alturas, me da igual lo que piense mi prima. Alex, en serio, no hables con ella. No le cuentes nada de todo esto.

—Sé mentir, Jan.

—Eso espero, pero cuidado con la mentira, periodista. Tú me dijiste una vez que eras una persona transparente y sin secretos. No te conviertas en alguien como Silvia; era una persona difícil de descifrar. La mentira mata, a la vista está. En cuanto pueda, me largo de aquí.

—¿Dónde?

—Me buscaré la vida en otro pueblo. Sé arreglármelas solo y tengo algo de dinero ahorrado.

—Dinero que Marc te ha pagado no solo por trabajar aquí, sino por tu silencio —deduzco molesta.

—Chica lista.

Me siento en el sofá a su lado. Coloco la mano encima de la suya, no la aparta.

—Jan, ¿quién crees que pudo matar a Daniel?

—El mismo que mató a Silvia —responde sin inmutarse.

—Obvio, pero ¿quién?

27 DE JULIO DE 2017
TRES HORAS ANTES DE DESAPARECER
—

SILVIA

Aparco el coche en un *parking* cercano a la zona donde hemos quedado. Obsesivamente, suelo contar hasta los segundos que hace que estoy sin él, pero es de las pocas veces que no han pasado ni veinticuatro horas y vamos a volver a estar juntos. Disimulo mi felicidad, la disfrazo de agobio por el calor de la ciudad; visualizo la tarde anterior juntos, él encima de mí haciéndome el amor de forma apasionada. Olvido mi discusión con Jan y también a Daniel, el espectáculo que me montó en el cuarto de baño, sus palabras de odio, su mirada helada, su desconfianza.

Y el test de embarazo.

El lunes empiezo mi nuevo trabajo. Quizá también sea un buen día para terminar definitivamente con Daniel, dejar de disimular y encontrar la felicidad de otra manera, en otra parte y sin dañar a terceras personas, algo que no me perdonaría nunca, aunque me temo que a estas alturas va a resultar inevitable.

Tengo que superar mis miedos y confesarle a Marc que estoy embarazada, que esperamos un bebé. Dejar de temer su reacción o que me diga que jamás va a dejar a mi hermana, que yo solo he sido un pasatiempo, una obsesión improvisada. No puedo seguir permitiendo que mi primo me meta esas ideas en la cabeza; por eso discutimos ayer. No quiere que sea feliz, como si todos debiéramos estar cabreados con el mundo como él. Marc no quiere a mi hermana, lo veo en su mirada, pero parece necesitarla, no sé por qué. Me invade la rabia. Marc me quiere a mí. Yo le voy a dar un bebé dentro de ocho meses. ¿Por qué sigue con ella? ¿Por qué?

La odio.

Ella no ha sido capaz de quedarse nunca embarazada, aunque estamos tan distanciadas que ni siquiera sé si lo han buscado. Un atisbo de esperanza me ilusiona al pensar que a lo mejor Marc quiere ser padre y ella no puede darle un bebé. ¿Soy una mala persona por alegrarme de la desgracia de mi propia hermana?

Cuando llego a mi destino, todos mis propósitos se van al traste porque no es Marc quien me espera frente a la cafetería de siempre. Su presencia, siempre intimidante, se apodera de toda la calle. Tengo ganas de llorar, pero me repito a mí misma que no le debo tener ningún miedo. No aquí rodeada de tanta gente y a plena luz del día. Sin embargo, su mirada inquisidora y la ira reprimida me hacen ver que va a pasar algo. Algo terrible. Debería salir corriendo, pero su fría quietud me paraliza hasta que consigo preguntar:

—Tú… ¿qué haces aquí?

Tras un prolongado silencio mirándome a los ojos de la misma manera en la que me miró la noche que estuvimos juntos, Jan se limita a decir:

—No te fíes de las apariencias.

En *Todos mienten* escribí que las apariencias no valen nada, que el aspecto de las personas es una nimiedad en comparación con lo que nos hacen sentir. Esas palabras brotaron pensando en el hombre fustigado que ahora tengo delante.

«Deja de pensar en eso —me digo—. No es el momento.»

—Aún no puedo creer que Silvia esté muerta.

Jan se derrumba. Inhala el humo de su cigarro, lo deja un buen rato en los pulmones y luego lo exhala lentamente, sin prisa, con los ojos cerrados, como necesitando extirpar el dolor que lo abruma. Me contagia su sufrimiento y, en un arranque de empatía, me llevo su cabeza a mi pecho con la intención de reconfortarlo. Perdemos la noción del tiempo llorando en mitad de un silencio desangelado.

En este preciso instante son las ocho de la tarde. Es de noche y está lloviendo. «Como aquella vez», recuerdo mirando a Jan de reojo. Llevamos dos horas bebiendo vino y delirando sobre las múltiples posibilidades de lo que pudo ocurrir el 27 de julio de 2017. Tan lejano en el tiempo. Tan próximo en el recuerdo.

—La pregunta es —digo un poco ebria alzando la copa de vino—: ¿Qué hizo Silvia para merecer morir? Daniel, horas antes de encontrarse con su asesino, quería hablar conmigo, a no ser que él tampoco fuera quien me escribió ese mensaje. ¿Descubrió de quién era el hijo que esperaba Silvia? —me pregunto mirando hipnotizada las brasas.

Jan, cansado, se deja caer sobre el respaldo del sofá, cruzando el brazo tatuado sobre la cintura. Con la otra mano sostiene la copa de vino cerca de los labios.

—Desde que han encontrado sus restos se ha pensado que fue alguien de aquí, como al principio, como tantas otras veces, pero ¿y si fue alguien del trabajo? —elucubra—. ¿Alguien que no quería que se fuera del bufete? Que la mató aquí para que no sospecharan de nadie de Barcelona.

—No, no lo creo.

—No descartes tan rápido, periodista.

—¿Y si tu tío Josep descubrió que tenía un lío con Marc? ¿Cristina es su preferida?

—No, su preferida siempre fue Silvia. Cristina es una de las mujeres más fuertes que conozco, nunca ha necesitado la protección que sí requería Silvia, más frágil y a veces sumida en la tristeza. Tenía tendencia a la depresión, de ahí que mi tío fuera demasiado sobreprotector con ella.

—Háblame más de Silvia.

—No te habrán vuelto a contratar de algún otro periódico, ¿no? Nada de lo que hablemos saldrá en ninguna parte —desconfía con una sonrisa provocadora fruto de los efectos del alcohol.

—Te prometo que no. Y tampoco pienso escribir ningún otro libro «inspirado en…».

—A Silvia se le daba bien mentir. Ocultar cosas. Era la mejor manteniendo secretos. A veces era dulce, pero bastaba con mirarla sin que ella se diese cuenta para ver que había algo oscuro en sus ojos, que decían lo contrario.

—¿A qué te refieres?

—Ángel y demonio, todo en una misma persona, no sé si me explico. Lo suyo con Marc era obsesión, locura, desde que entró en la familia cuando Silvia tenía solo diez años. Cuando ella cumplió los dieciocho, Marc tenía veintinueve. La diferencia de edad ya no parecía tan abismal, sobre todo porque Silvia se desarrolló muy rápido. Una tarde, ella lo fue a buscar a uno de los pubs que Marc tiene en el Barrio Gótico, y ahí fue donde empezó todo. En la trastienda… Se enfadaban a menudo; yo era el hombro sobre el que Silvia lloraba muchas veces y solía ser el primero, por no decirte el único, en enterarme de sus problemas. Si siguió con Daniel fue solo para disimular, por Cristina, para que nunca sospechara lo que había entre Marc y ella, aunque a veces se le iba la cabeza y decía que terminarían huyendo juntos. Que lo dejarían todo atrás, incluidos Cristina y Daniel.

—¿Y Marc sentía lo mismo?

—Sí, más o menos, pero no con tanta intensidad. No estaba tan obsesionado como ella, y dejar a Cristina siempre ha sido impensable. No es un tipo que se deje llevar por los sentimientos, tampoco cree en el amor, aunque es de los que camelan rápido. Y Silvia, después de tantos años siendo la amante, creyó inocentemente que la elegiría, sobre todo cuando se enteró de que estaba embarazada. Yo era el único que sabía que Silvia esperaba un bebé de Marc. El día anterior a su desaparición quedamos antes de que se fuera a un hotel con él, como hacían cada miércoles. Quise abrirle los ojos, decirle que anduviera con cuidado, que Marc nunca se fugaría con ella a ninguna parte. Fui sincero, solo eso.

«Marc nunca dejará a Cristina», le advertí. Acarició su vientre, aunque no se le notaba nada, estaba de muy poco tiempo, y se cabreó conmigo. Discutimos. La vi furiosa como nunca. Silvia decía que él movería cielo y tierra si la perdía, que la buscaría hasta el fin del mundo, que sin ella no podía vivir. Bueno, al final no ha resultado ser así… Marc no ha movido un solo dedo en todo este tiempo para encontrarla.

—O sea, que para Marc casi ha sido un alivio.

—Por mucho que me cueste reconocerlo, eso empiezo a creer. Con Silvia en paradero desconocido, un día nos peleamos. No aguanté más y le confesé que mi prima estaba embarazada de él, y ¿sabes qué dijo? Que era una puta mentirosa al decirle que se tomaba la pastilla anticonceptiva. Que él no quería problemas. Durante estos tres años, lo más importante para Marc ha sido que su idilio con mi prima se mantuviera en secreto porque ya se sabe que un amante resulta siempre sospechoso cuando ocurren estas cosas. Me pagó una cantidad indecente para que guardara silencio, incluso tuve que callar cuando escribiste el libro acusándome de ser el amante y el asesino. Marc lo soluciona todo con dinero, te hace creer que es altruismo cuando lo único que le interesa es mantener sus intereses a salvo. Es un cabronazo. —Bebe más vino, está hablando más de la cuenta.

—Un cabronazo que podría haber hecho cualquier cosa. A lo mejor Silvia lo amenazó con contarle algo a su hermana.

—Silvia jamás hubiera hecho eso; ni siquiera fue capaz de decirle a Marc que estaba embarazada. Cristina para ella era su otra mitad, y viceversa, aunque últimamente estaban un poco distanciadas. Cuando Silvia era pequeña, se adoraban. Nunca he visto a dos hermanas que se quisieran tanto. La edad también influyó. Cristina era prácticamente como una segunda madre para Silvia.

—Si Silvia la hubiera querido tanto, habría respetado que Marc fuera el marido de su hermana y nunca habría ido detrás de él —le contradigo.

—Asuntos del corazón. Son inexplicables, ¿no te parece? —suspira—. Las personas podemos ser imprevisibles, contradictorias.

—Ya —titubeo dejando la copa de vino sobre la mesa—. Bueno, será mejor que vuelva al hostal.

—Ni hablar. Has bebido mucho, no puedes coger el coche.

—Pues llévame —propongo.

—Yo también he bebido mucho —ríe—. Pero necesitaba algo así. Desahogarme, confesarme y esas cosas. Soltar toda la mierda de la familia Blanch, aunque igual mañana me arrepiento. Gracias —dice apenas en un murmullo tan tímido como su mirada.

Cuando nos levantamos, hace ademán de acercarse y, no sé por qué, retrocedo unos pasos, pero Jan no se detiene hasta estar delante de mí.

—Somos imprevisibles y contradictorios —me susurra al oído estremeciéndome.

Su mirada hace que me flaqueen las rodillas. Me acaricia la cara con un pulgar y lo desliza hasta mi boca.

—Jan —digo notando su dedo áspero en los labios—. Para. No es el momento.

Su rostro se contrae con un gesto de dolor. Nos miramos durante un rato intentando descifrarnos, como si el tiempo se hubiera congelado.

—No, no lo es —me reafirmo apartándome de él pese a las ganas.

El corazón tiene memoria.

Cojo mi bolso y salgo de su casa sin creerme que haya rechazado el momento que llevo deseando durante más de dos años.

La noche es tan fría que, en cuanto salgo por la puerta, los efectos del alcohol parecen mitigarse de golpe. Corro hasta mi coche, con el parabrisas cubierto de escarcha que me apresuro en retirar, para salir pitando de la oscuridad de la granja. Pero antes de arrancar el motor apoyo la cabeza en el volante y me detengo a pensar. Si vuelvo a entrar, ocurriría lo inevitable. Si me voy, me quedo con las ganas, algo poco recomendable teniendo en cuenta lo corta que es la vida, el poco tiempo que nos dan para disfrutarla —que se lo digan a Silvia—. Pero es mejor así, me quiero autoconvencer. No tentemos a la suerte, que luego queremos más y más y más…, y el placer se convierte en un infierno mental.

A veces, simplemente, no puede ser.

Antes de bajar la cuesta que me conduce a la carretera en dirección al hostal, veo por el retrovisor una silueta en el umbral de la puerta. Jan observa cómo me alejo de la granja. ¿Acaso hay algo más triste que eso? Lo dejo atrás, sigo mi camino tratando de no darle vueltas al asunto. Que si me voy o no me voy, que si desaparezco y no vuelvo, que si dejo de una maldita vez de pensar en Silvia, cuyo paradero todo el mundo conoce ya, y no es otro que el de una tumba.

Tan concentrada estoy en mis pensamientos que no me he dado cuenta de que llevo un vehículo detrás. Ha salido de la nada, como si me hubiera estado esperando en el bosque; los dos faros han aparecido pegándose a mi coche en cuestión de segundos. Lleva las largas puestas y es un vehículo alto, según me parece ver por el retrovisor. La situación me recuerda a la de hace un par de años, cuando yendo con Jan nos cruzamos con el coche de Artur incordiando con las luces largas. Cada vez más nerviosa, reduzco la velocidad para que me adelante; todavía veo la granja desde este camino estrecho de tierra y piedrecitas repleto de baches. Entrecierro los ojos tratando de distinguir la matrícula, pero va tan pegado que me lo impide. El kamikaze sigue presionándome; si freno de golpe, se estampará contra mí. Bajo la ventanilla y saco el brazo haciéndole un gesto para que me adelante, pero se me pega todavía más y, cuando creo que vamos a seguir así hasta que yo tome el desvío al hostal o me lance cuesta abajo, da un volantazo inesperado situándose a mi lado. Tengo la carrocería de su vehículo pegada al cristal. Miro de reojo, quiero saber quién es, pero no distingo nada entre la oscuridad y la niebla. Debo centrarme en las curvas que se aproximan.

El tiempo pasa despacio. Es una agonía.

«Alguien intenta matarme.»

Toco el claxon con insistencia para que me deje en paz, pero ahí sigue, sin inmutarse, queriendo asustarme. Cuando decido arrimarme a la cuneta y frenar para quedarme atrás y perderlo de vista, me embiste y se aleja a toda velocidad. En mi lucha para no salirme de la carretera, he cogido el volante retorciéndolo con todas mis fuerzas en sentido contrario a la cuneta. Es lo que me ha salvado de no terminar dando vueltas por el terraplén.

Piso el pedal de freno con tanta fuerza que las ruedas derrapan empujando mi cuerpo hacia delante. Me golpeo la cabeza. Mi cuerpo queda incrustado entre el asiento y el volante, temblando de frío. Cuando vuelvo a abrir los ojos, me percato de que tengo medio chasis en la cuneta y que, por poco, no me precipito al vacío.

Dios. Por los pelos.

La ventanilla sigue bajada. Inmóvil y con la respiración agitada, observo aterrorizada que sale humo del capó. El motor. No entiendo de coches y he visto muchas películas, demasiadas, así que lo primero que me pregunto es: «¿Esto va a explotar?». Tiro de la manecilla de la puerta para salir, está bloqueada. El conductor que se ha dado a la fuga me ha dejado la carrocería destrozada. Tratando de controlar el ataque de nervios que me atenaza, me quito el cinturón de seguridad, cojo el bolso y, de un impulso, salgo por la ventanilla aterrizando con las manos en el frío asfalto.

—¡Alex! ¡Alex! —oigo que alguien grita a lo lejos—. ¿Qué ha pasado?

Es Jan. Viene corriendo por la carretera; tan solo es una silueta en la noche a la que apenas alcanzo a ver hasta que se sitúa frente a los faros de mi Citroën destrozado. Tomo una bocanada de aire que me ayuda a hablar.

—¿Lo has visto? —le pregunto tocándome la cabeza. Me sale sangre.

—He oído un golpe y el claxon, y luego, al asomarme, he visto tu coche aquí, con este humo...

En su frente han aparecido unas líneas de preocupación que endurecen sus rasgos.

—¿Va a explotar? —pregunto ingenuamente sollozando. Las lágrimas caen en cascada desde mis ojos, quemándome las mejillas.

—No, no creo. Joder. ¿Estás bien?

Se acerca para inspeccionar con angustia la brecha de mi frente, deslizando el dorso de su mano por mi mejilla.

—No es nada, solo me he golpeado la cabeza con el volante.

—Tendríamos que ir al hospital.

—No. Estoy bien —insisto—. Un todoterreno, creo que oscuro, me ha perseguido. Se me ha pegado mucho, luego se ha colocado a mi lado y me ha embestido.

—¿Un todoterreno oscuro?

—Sí.

—Mi tío tiene uno, un Suzuki Vitara que usaba para trabajar, pero hace tiempo que no lo utiliza. ¿Podría ser ese?

—No sé, no lo vi, pero sí, puede ser —contesto nerviosa—. Han querido matarme, Jan. O darme un susto. Es que ha sido todo tan rápido que yo… no…

—Chsss, tranquila. Voy a llamar al mecánico a ver si a estas horas se puede acercar con la grúa para llevarse el coche.

—Lo que voy a hacer ahora mismo es llamar a la Policía —digo cogiendo mi móvil—. Casi me mata.

—No, Alex, por favor —me detiene agarrándome con suavidad del brazo—. No llames a la Policía. Tampoco estás segura de que haya sido mi tío.

—¿Ah, no? ¿Y quién si no? ¿Y si también mató a Daniel? ¿O se enteró de lo del lío con Marc y acabó con su propia hija? ¡¿Quién sabe lo que es capaz de hacer?!

Respiro hondo tratando de mantener los nervios a raya. Estoy temblando, por lo que tardo un poco más de lo previsto en activar la linterna del iPhone para enfocarla a la carrocería. Mi Citroën gris, totalmente abollado, tiene varias rayadas de pintura verde.

—Verde —acierto a decir.

—Como el de Josep. Verde oscuro —confirma—. Déjalo, Alex.

—¡Ha intentado matarme, joder! —le grito exasperada.

—Mañana iré a hablar con él. Por favor… —susurra.

—Me lo pensaré.

Nico, el mecánico del pueblo y antiguo compañero de colegio de Jan, le ha hecho un favor viniendo hasta aquí a las tantas de la noche para llevarse mi coche. Tardará unos días en estar listo; Jan me ha propuesto llevarme a Barcelona si lo necesito.

—No tengo nada que hacer —le he dicho—. Después de todo lo que ha pasado han cancelado algunas presentaciones, aunque creo que ha sido por culpa de mi discurso en aquella cena de gala que hizo la editorial.

—¿Tu discurso? —ha preguntado sirviéndome una copa de vino frente a la chimenea.

—Dije que nunca tendría que haber escrito la novela. Que hice daño a quien no se lo merecía… —he murmurado.

—Mañana hablaré con mi tío —ha decidido—. No voy a permitir que te haga daño, Alex.

—Si Josep ha sido capaz de esto, ¿qué más habrá hecho?

JAN

—Qué tal, Jan.

—¿Qué hiciste anoche?

—¿Anoche?

—Casi matas a la periodista.

—¿Cómo?

—Tu coche, el viejo Vitara verde, ¿dónde está?

—Lo dejé en la fábrica cuando la eché a perder. No lo he vuelto a coger.

—Hasta anoche. Anoche lo cogiste y embestiste el coche de Alex. Casi la matas.

—Pero ¿qué dices, chico? Sal de mi casa ahora mismo si no quieres que…

—Si no quiero que ¿qué? ¡Ya no soy un chaval de dieciséis años al que puedes golpear con tu puto cinturón, viejo loco!

ALEX

Jan ha ido esta mañana a hablar con su tío, aunque, por cómo ha regresado, la mejoría en su relación tras el hallazgo del cuerpo de Silvia se ha convertido en una utopía. Tal y como yo esperaba, Josep Blanch lo ha negado todo y ha echado a su sobrino de malas maneras. Como Jan no se fiaba, ha ido a la fábrica abandonada, situada a las afueras del pueblo. Efectivamente, el viejo Vitara 4x4 de color verde militar estaba ahí, pero no tenía ningún rasguño que pudiera incriminarlo.

—No pudo ser él.

—Entonces, ¿quién? A lo mejor se han pasado la noche arreglándolo; en el forcejeo yo también lo golpeé, debe tener pintura gris de mi coche —me exaspero—. ¿Te has fijado bien?

—No tenía nada.

—¿Hay muchos Vitara de color verde por aquí?

—Me temo que es un vehículo bastante común en la zona, sí.

—Quiero ir al bosque.

—Otra vez —se queja—. Al bosque ¿para qué?

—Quiero ir al lugar donde encontraron a Silvia y a Daniel. Ya no hay policías ni periodistas, tengo una alerta en el móvil que me informa de cada noticia que se publica sobre

Silvia o Daniel y hoy no ha salido ninguna. Acompáñame, por favor —insisto.

—No es buena idea.

—Pues iré yo sola.

Jan aparca su todoterreno en el hostal para saludar a Montse. Aprovecha para preguntarle si hay huéspedes interesados en alguna excursión para los próximos fines de semana.

—Me temo que no, Jan. Solo hay una habitación ocupada y no parecen interesados en hacer ninguna ruta por el bosque. Lo siento —se lamenta ella mirándome como si fuera el enemigo—. ¿Aún por aquí?

—Tengo el coche estropeado.

—Algo he oído —murmura.

Nos dirigimos al bosque a pesar de las advertencias de Jan.

—Estamos a mediados de diciembre, Alex, ¿preparada para el frío?

Digo que sí sin saber a qué me enfrento. Estoy tiritando, siento las orejas y la nariz entumecidas, los labios resecos y los ojos llorosos, aunque intento disimular para no verme obligada a darle la razón.

Paseamos bajo las sombras de los árboles, la brisa agita las ramas con furia y los rayos del sol se cuelan diluyendo la atmósfera tétrica que ocasiona la neblina espesa. Son las once de la mañana, pero el sendero sigue cubierto de escarcha como si fuera de madrugada y está tan endurecida que cruje a la más mínima pisada. Avanzamos pesadamente a través de la hojarasca hasta que, cuarenta minutos más tarde, Jan se detiene. En el lugar donde encontraron a Daniel colgado del árbol y los restos de Silvia enterrados parece que el tiempo se haya congelado, detenido en su letargo.

Al oso de peluche abrazando un corazón y a la pancarta pidiendo justicia para Silvia se les suma su fotografía, la que vi colgada del poste, junto a la curva donde abandonó su coche, cuando llevaba un año desaparecida, y varios ramos de flores marchitos dedicados a su memoria.

Miro a mi alrededor. Recuerdo aquella mañana, puede que cerca de donde estamos, no lo sé; todos los caminos del bosque me parecen iguales. Después de dos años sigo pensando que alguien me persiguió, no sé con qué intención, hasta que tuve la suerte de que Jan me encontrara. Ahora tengo la misma sensación, me es imposible desterrarla. Aquí con nosotros hay alguien más. No muy lejos. Vigilando.

«No pienses en tonterías», me digo.

—Cristina cree que no siempre estuvo enterrada aquí —le digo a Jan para quitarme ideas raras de la cabeza, dirigiendo la mirada unos metros más lejos, en dirección a la carretera.

No es el punto exacto donde apareció el coche de Silvia con la puerta del copiloto abierta, pero puedo imaginar lo que la vecina vio al anochecer de aquel día de verano. Dos siluetas en la penumbra moviéndose agitadas: lo que Berta Bruguera interpretó como pasión fue, en realidad, un asesinato.

—Tú misma lo dijiste. En las tareas de búsqueda los perros la habrían olfateado.

—¿Dónde estuvo su cuerpo antes de enterrar los huesos aquí para incriminar a Daniel? —pregunto señalando la tierra húmeda.

—Eso no importa.

—A mí me importa.

—A mí lo que de verdad me importa es tener la seguridad de saber quién fue y por qué, Alex. No podemos cam-

biar lo ocurrido, pero está en nuestra mano elegir cómo so-
brellevarlo.

«Ni siquiera la conocía», me digo.

—¿Crees que algún día lo descubrirán?

—La verdad siempre sale a la luz —asegura misterioso,
con la mirada perdida en el árbol donde encontraron el cadáver de Daniel colgando.

JAN

—¿Te has vuelto loco? ¿Me estás diciendo que intenté matar a la periodista?

—No sería la primera vez. Ya la asustaste en el bosque y te pusiste violento con ella cuando la viste en la granja. Tus modales no han sido los más adecuados; nunca te ha interesado que esté aquí.

—Pero eso fue un susto de nada; es una obsesa que se ha vuelto loca con Silvia, ¿no te das cuenta? ¿De verdad me ves capaz de coger el coche del viejo y estamparme contra el de ella?

—¿Dónde estabas anoche, Marc?

—En casa con Cristina. Y tú, Jan, ¿dónde estabas cuando Silvia desapareció?

SILVIA

—Jan, te estoy haciendo una pregunta. ¿Qué haces aquí? —repito con toda la calma de la que soy capaz—. ¿Por qué tienes el móvil de Marc?

—Se lo quité ayer antes de que os fuerais al hotel y me dejarais tirado. Sabía que si te escribía desde mi móvil no me harías caso, que después de nuestra discusión no querrías verme, pero es importante que vengas conmigo.

—Sé lo que quieres conseguir y la respuesta es no. No lo voy a dejar, Jan. No puedo. Le voy a decir que estoy embarazada, que el bebé es suyo y que pase lo que tenga que pasar, pero no me va a dejar. No va a pasar eso porque me quiere. Déjame tranquila, ¡estoy harta de ti!

DICIEMBRE DE 2020

—

ALEX

Cuando regresamos al hostal, después de nuestro gélido y tranquilo paseo por el bosque, nos sentamos a la mesa de la terraza vacía. No hemos hablado durante el trayecto; Jan, reflexivo como me tiene acostumbrada, me deja sola y, al cabo de un rato, vuelve con dos Coca-Colas, una Light para mí. Me sonríe. «Por los viejos tiempos», parece pensar.

—¿Prefieres dentro? ¿Tienes mucho frío? —me pregunta.

—No, da igual —contesto pasando el dedo por la mesa de plástico fría y mojada—. Así podemos fumar un cigarro.

—Soy una mala influencia para ti.

—Seguro que podré dejarlo otra vez —mascullo aceptando el cigarrillo que me ofrece.

Me deleito contemplando el paisaje simulando que no me doy cuenta de que Jan me mira. Llevo unos días quedándome en su casa, esperando a que mi coche esté arreglado, y no ha pasado nada. Él, tan considerado, duerme en el sofá y me cede su cama. Debo reconocer que no ha habido madrugada en la que no haya deseado que se colara entre las sábanas.

—Igual tendría que volver a Barcelona. Ya no pinto nada aquí. —Suspiro—. La Policía está trabajando, ¿no? Descubrirán quién fue.

281

—Tienes buen olfato, Alex. Desde el principio la muerte de Daniel te pareció rara y, mira, tenías razón.

Me gustaría saber qué se le está pasando por la cabeza.

—Jan, ¿me ocultas algo? ¿Hay algo que no sepa?

Su rostro pálido como el hueso, con la mirada fija e intensa cual perro lobo, denota un profundo salvajismo y mantiene una inmovilidad total.

—Puede. —Le gusta hacerse de rogar.

Entonces, sin que lo vea venir, Jan, impredecible, se aproxima a mí con rapidez y me planta un beso en los labios. Su boca se mueve sobre la mía y me derrito, casi literalmente, en él.

Ha empezado a llover, como aquella única vez. Las gotas repiquetean en el tejado mientras levanto las caderas y dejo que Jan se deslice dentro, suave y sólido, y el último vestigio de frescura queda sofocado por mi calor, como el metal frío de un cuchillo cubierto de sangre caliente. Sus labios ávidos me buscan también, mordaces. Cuando estoy con él, mi cuerpo vibra con una aceleración interna. Años de deseo acumulado por fin se liberan, y el resultado es más necesidad que pasión.

Me despierto con una sonrisa boba en la cara. Jan no está al otro lado de la cama, fría por su ausencia, pero me ha dejado una nota para avisarme de que vuelve enseguida.

Camino descalza por el entarimado hasta la cocina. Antes de poner en marcha la cafetera registro cajones y armarios en busca de las cápsulas de café y los terrones de azúcar. Cuando abro el cajón que hay junto al fregadero, encuentro un modelo de iPhone antiguo. No le doy mucha importancia, pero, mientras bebo café sentada a la mesa, la imagen de ese móvil no se me quita de la cabeza. ¿Qué hace ahí guardado? Me levanto de un impulso para enchufarlo a mi cargador, que se acopla a la ranura sin problema.

El teléfono tarda en resucitar la friolera de treinta minutos y, cuando lo hace, me alegra ver que no tiene contraseña. Hay wasaps procedentes de un solo número. Ni rastro de aplicaciones ni redes sociales o llamadas. Saco medio cuerpo por la puerta por si Jan vuelve en este momento. Su coche no está. Respiro aliviada. Concentrada, leo con rapidez mensajes urgentes de amor; la mayoría dicen: «Quedamos donde siempre a las seis». Varios «Te quiero», «Te pienso», «Te echo de menos» llenan el vacío que dejan otros: «Te odio», «No quiero volver a verte», «No me escribas ahora», «No, no me va bien», «Esto está mal».

Trago saliva angustiada cuando llego al final.

> **Silvia 18:00**
> Ok, amor. En media hora estoy contigo.

Data del 27 de julio de 2017, horas antes de que Silvia Blanch desapareciera. Es el último mensaje que hay entre las conversaciones de dos amantes que van cronológicamente desde 2014, año en el que seguramente se compró el iPhone, hasta 2017. Solo tres años de los diez que vivieron en una mentira que ha terminado con la vida de Silvia y de Daniel. Apago el móvil y lo vuelvo a esconder en el cajón donde lo he encontrado. Si Marc era el amante de Silvia, ¿por qué tiene Jan ese móvil? ¿Silvia quedó con Marc, su supuesto amante, antes de desaparecer para siempre? Entonces, ¿fue Marc? ¿O fue Jan?

Los dos nombres se entremezclan con rapidez en mi mente; apenas puedo pensar con claridad. Jan, Marc, Marc, Jan… ¿Quién de los dos?

—¿Alex?

Es Jan.

—Hola —saludo disimulando—. ¿Qué tal?

—Bien. He ido a Sant Celoni. Es posible que consiga trabajo en una granja de allí.

—Eso es genial. Me alegro mucho por ti.

—¿Te pasa algo?

—Nada.

Me quedo sentada a la mesa sin mover un solo músculo, tensa y agarrotada, mientras observo a Jan ajetreado en la cocina preparando algo de comer. Su dominio con el cuchillo despedazando el pollo me alarma. Me escaparía corriendo, aunque no sé si llegaría muy lejos. Lo más seguro es que me pillara nada más salir, y entonces estaría perdida. Lo sensato sería preguntarle por qué tiene ese móvil si él no era el amante de Silvia, pero me da mala espina hacerlo, aunque la pifie igual que con la fotografía por sacar conclusiones precipitadas. Por primera vez le temo. Veo el peligro, lo intuyo…, esas cosas se notan. Se me eriza el vello.

—¿Has vuelto a hablar con Marc? —le pregunto mostrando poco interés.

—No, ¿por qué?

—Por nada.

Lo mejor será que me quede calladita y, cuando se duerma, me vaya de aquí. Puede que durante todo este tiempo haya estado metida en una ratonera sin darme cuenta.

«El amor te ciega», me dice una voz interior a la que no quiero escuchar.

«Ten cuidado, Alex. No vayas por ahí intentando abrir puertas sin saber qué encontrarás al otro lado», me repite la voz de Cristina Blanch susurrando al oído su advertencia.

Terminamos de comer en silencio y le pido a Jan que me lleve al hostal.

—¿Para qué?

—Necesito un poco de aire fresco. Salir de aquí.

Cuando llegamos al hostal, nos sentamos a una mesa de la solitaria terraza. Echo de menos a los jubilados jugando a las cartas; con gente me sentiría a salvo. Estamos un buen rato fumando, absortos cada uno en nuestro propio mundo, bebiendo café, Coca-Cola y pasando frío. Mucho frío.

—Ya es hora de volver, ¿no te parece? —pregunta al cabo de hora y media observando la negrura de las montañas que nos rodean.

«Si me quisiera hacer daño, ya lo habría hecho», recapacito. No obstante, me siento más segura aquí que en la granja. No, no me quiero ir con él. Ahora mismo, lo que menos me apetece es estar con Jan.

—Si no te importa, me voy a quedar aquí.

—Pero tienes tu ropa en la granja.

—Ya la pasaré a buscar.

—Vale —acepta extrañado—. Te acompaño a la recepción.

—Sé ir sola.

—¿Qué cojones te pasa, Alex?

—Nada —contesto visualizando los wasaps de los dos amantes.

«Marc, Jan, Jan, Marc…»

Me levanto, Jan me sigue y entramos en el hostal.

—Jan, contigo quería hablar —dice Montse sin mirarme—. Los dos huéspedes que tengo me solicitan una excursión a caballo. ¿Estás libre mañana?

—Claro. Tendré los caballos a punto. ¿A qué hora?

—A las diez. Quieren ir en el mismo caballo, trae solo uno.

—Genial. Gracias, Montse.

Jan y Montse, expectantes, me miran.

—Quiere una habitación —le dice Jan.

Montse se da la vuelta, abre el armarito de la número 13 y me tiende la llave. Asiento con la mirada borrosa por las lágrimas que quieren aflorar y, sin despedirme, entro en el ascensor con olor a lejía para encerrarme en la habitación con la intención de no salir hasta que el mecánico me diga que ya tiene mi coche arreglado.

JAN

—Estoy en una excursión. Qué quieres.

—Es sobre Cristina. Está rara, no sé qué le pasa. ¿Has hablado con ella? No le habrás contado nada, ¿no?

—A veces me sorprende que seas tan gilipollas, Marc.

—¿Qué?

—Cristina lo sabe todo. Siempre lo ha sabido.

—¿Cómo que lo sabe todo? ¿Vio el móvil? ¿Ella me lo robó?

—No. El móvil te lo robé yo. Os pilló hace tiempo. En la granja.

—¿Por qué no me lo has dicho antes?

—Me hubiera gustado decírtelo, pero…

—Te amenazó.

—No es eso.

—Jan, ¿a qué juegas? No entiendo nada.

—No hace falta que lo entiendas. Se acabó. Esta tarde voy a ir a comisaría. No tengo pruebas, pero bastará con que me crean de una puta vez e investiguen a la persona de quien nunca han sospechado nada.

—¿Qué? No, espera, ¿qué vas a hacer? Tío, si les cuentas que yo era el amante de Silvia te cierro el grifo.

—¡Ya me da igual tu puto dinero, Marc! Solo piensas en ti y en que te puedan acusar de algo. No solo por Cristina,

¿verdad? ¿Quién mató a Silvia, Marc? ¿Y a Daniel? ¿Tan ciego has estado durante estos años? ¿Aún no te has dado cuenta de que tu mujer está loca? ¡Enloqueció el mismo día que te vio follándote a su hermana!

ALEX

No he sido capaz de pegar ojo en toda la noche. Jan me ha mandado mensajes que he ignorado, y ahora el mecánico me da los buenos días informándome de que mi coche ya está listo y que puedo pasar a buscarlo cuando quiera.

Sopeso la posibilidad a la que le he estado dando vueltas durante horas. Cristina. Hacer lo correcto o no. Miro la agenda de mi móvil y ahí está su número, el que ella misma dejó grabado. Pulso sobre el icono de llamada, pero cuelgo al momento. No puedo hacerlo. Al cabo de un segundo, es ella quien me llama. ¿Ha llegado a dar tono? Mierda.

—¿Sí?

—Me has llamado —afirma contundente.

—Mmm… sí.

—¿Pasa algo?

—Me gustaría contarte una cosa. Es raro, pero… no sé, creo que lo correcto es comentarlo contigo.

—Claro. Estoy en la fábrica de mi padre arreglando unos asuntos. ¿Te envío la ubicación por WhatsApp y te acercas?

—Vale, pero a lo mejor tardo un poco; tengo el coche en el taller.

—No pasa nada, te espero.

Trato de relajarme cuando cuelgo el teléfono mientras pensamientos sombríos se deslizan en mi cerebro. Ya no tengo nada de lo que preocuparme, debería estar tranquila. El asunto estará en manos de Cristina; es policía, seguro que sabe qué hay que hacer.

Bajo a recepción, donde me encuentro a Montse tras el mostrador con la mirada fija en unos papeles.

—Montse, buenos días.

—¿Todo bien?

—¿Jan ya se ha ido?

—Hace un buen rato, sí.

—Mi coche ya está listo. ¿Me sabrías decir dónde está el taller?

—Aquí al lado. Bajas esta calle y giras la primera a la derecha.

—Genial, gracias.

—¿Ya te vas a Barcelona?

—Sí, hoy.

—Es lo mejor que puedes hacer —asiente ajustándose las gafas.

Cuando llego al taller, congelada de frío, el primer coche que veo es el mío. No hay ni rastro del golpe, está como nuevo, limpio y reluciente. Me arrepiento de haberle hecho caso a Jan: sin golpe ya no puedo poner una denuncia, y quienquiera que hubiese pretendido asustarme va a salir impune. Podría haberme matado.

—Ha quedado genial —lo halago, mentalizada para la factura que me va a entregar.

—Son 650 euros, te lo dejo en 600.

Tengo dinero, mucho más que antes, pero, educada en la tradición de «ahorra para cuando lleguen las vacas flacas», sigue doliéndome sacar la cartera.

—¿Puedo pagar con tarjeta?

«Así duele menos», me callo.

—Claro.

Lo primero que hago al entrar en mi coche tras poner en marcha el motor es encender la calefacción. Me tiemblan las manos cuando activo el GPS del móvil con la ubicación que Cristina me ha mandado. Conduzco despacio por las curvas que ya empiezo a conocer hacia las afueras del pueblo. Una espesa neblina cubre la carretera. Evito mirar la foto de Silvia Blanch en el lugar donde encontraron sus restos, sigo hacia delante y, tal y como me indica la voz que sale del móvil, giro por un camino de tierra a la izquierda. No hay ni un alma que me acompañe en el trayecto. Al fondo, diviso un viejo edificio de ladrillo abandonado a su suerte que, aunque solo tiene dos plantas, me recuerda al hospital del Tórax de Terrassa con todas sus leyendas e historias de fantasmas. Tiene su mismo aspecto tétrico y desolador.

Cuando aparco el coche y pongo un pie sobre el asfalto, se me pone la piel de gallina, sensación que no me abandona hasta que veo aparecer a Cristina. Por fin sabrá que sus suposiciones eran ciertas, que es probable que Jan tuviera algo con Silvia, que no tendría que haberme dejado engañar y que Marc, su marido, no le es infiel. Eso creo. Nunca hay que poner la mano en el fuego por nadie. No, mejor no menciono a su marido a pesar de lo violento que se puso conmigo, algo que le vino muy bien a Jan para hacerme creer que él era el amante de Silvia.

—Ven, entremos. Hace frío —dice con un gesto que señala el interior de la fábrica.

Está oscuro, hay polvo y telarañas por todas partes; ventanales rotos y un fuerte olor a humedad. Las grandes máquinas de hierro oxidado que ocupan la amplia nave demuestran que tuvo que ser un buen negocio textil, pero hay que ver cómo se echan a perder los edificios cuando no queda nadie que les preste atención.

La mirada de Cristina se ha vuelto inquietante. Un escalofrío me recorre todo el cuerpo, no sé por qué. De repente, un *flash*. Tiene el brazo derecho vendado; en cuanto se da cuenta de que lo miro, se lo lleva a la espalda.

—¿Qué te ha pasado en el brazo? —pregunto.

—No es nada —responde cortante.

El cielo encapotado que cubre Montseny de pronto deja la nave más a oscuras si cabe. El techo parece más alto y las paredes se encogen. Antes de hablar pienso con rapidez, recuerdo la noche en la que aquel kamikaze intentó matarme y no me es difícil imaginar a Cristina al volante. Miro inquieta a mi alrededor. Recuerdo que Jan dijo que vino hasta aquí porque es donde Josep Blanch guarda el 4x4. Me aseguró que estaba intacto, sin golpes ni rayadas, pero me es imposible corroborarlo porque no lo veo por ningún lado.

«No te acerques a Cristina», me advirtió Jan.

—Fuiste tú —suelto sabiendo que me he metido en la boca del lobo y que me va a ser difícil escapar.

—¡No me digas! —exclama riendo, y me intercepta el paso cuando intento salir por el portón metálico.

Sin darme tiempo a reaccionar, sin entretenerse en mentir o en poner excusas, saca una pistola del bolsillo trasero de su pantalón.

—Me hubiera gustado matarte donde murió Silvia, pero esta fábrica abandonada también tiene su toque, ¿no crees? Es un buen lugar para que se desarrolle una escena de celos entre dos amantes, pongamos que entre Jan y tú, y termine en muerte.

Siento el peso de una constatación abrumadora sobre los hombros doblegándome.

—Me has estado jodiendo desde el principio, Alex. La cúspide llegó con el libro. Daniel está muerto por tu culpa, zorra —escupe apuntándome con la pistola.

Miro en todas direcciones. Sabe tan bien como yo que no tengo escapatoria.

Cristina, que se me antoja más alta y fuerte, me apunta ahora a la frente. Con agilidad, quizá por estar acostumbrada a meterse con los más débiles, me da una patada en la boca del estómago que me tumba. El crujido estrepitoso me estremece; sigo teniendo la puta pistola clavada en la cabeza.

«¿Duele? ¿Me va a doler?», quisiera preguntar, aunque me temo que nadie que haya recibido un balazo en la cabeza puede contestarme.

Cristina, sin soltar el arma, me agarra cual monigote en sus manos, me suelta y me empuja contra un muro. Le divierte. Su risa es escandalosa, loca, perturbada. Estoy tan paralizada que no opongo resistencia, como si mi cerebro asumiera que no merece la pena luchar, que voy a morir de todas formas.

Ella tiene un arma. Yo no.

Nadie va a venir hasta una fábrica abandonada a las afueras.

Ya me puedo dar por muerta.

Los cristales rotos de las ventanas permiten que se cuele el frío. Mis dientes empiezan a castañetear, algo que parece poner nerviosa a Cristina, cuya actitud imprevisible consiste en sentarse en el suelo frente a mí sin dejar de apuntarme con la pistola. El tiro podría ir directo a mi frente, pero su sonrisa me dice que aún no ha llegado mi hora.

—Te debo una explicación. Te voy a dar la exclusiva de lo que le pasó a la famosa Silvia Blanch la noche del 27 de julio de 2017. Hasta muerta ha tenido que robarme el protagonismo.

CRISTINA

¿Quién me preguntó si quería una hermana? ¿Quién? ¿Acaso mis padres no tenían suficiente conmigo? ¿Acaso mi existencia les llenaba tan poco que necesitaban traer a otra criatura al mundo?

Silvia llegó para destruir mi vida. Yo siempre la traté bien, lo juro; intenté protegerla, que no se metiera en líos, que fuera la mejor estudiante y una buena chica. Fui una segunda madre para ella. Su alma gemela, tal y como ella decía de manera estúpida e insípida, porque así era Silvia. No hay nada peor que una boba tratando de fingir ser inteligente.

Vi cómo su actitud hacia mí cambió el día que llevé por primera vez a Marc a casa. Ella era una niñata de diez años; yo tenía veinte, igual que Marc. Éramos dos adultos con una relación sólida y especial hasta ocho años más tarde, cuando mi hermana cumplió los dieciocho y se convirtió en una mujercita preciosa para joderlo todo. Ya no tenía nada que envidiarme; nunca he resultado tan atractiva para nadie como ella. Me había acostumbrado a los comentarios de la gente:

«¡Hay que ver cómo se parecen! Pero esos ojos de Silvia…, esos ojos… No hay comparación».

«Cristina es alta, sí, pero la belleza de Silvia es insuperable.»

«¡Silvia, le vas a robar todos los novios a tu hermana de lo guapa que eres!»

«Abogada, sí, señor. Eso sí es una carrera.»

Me avergonzaba de mí misma. Me avergonzaba de mi propia familia; de un padre maltratador y una madre débil y holgazana. Sé que Silvia también los odiaba, sobre todo por el cariño que le tenía a Jan, a quien no pudo salvar de los desprecios de nuestros padres. Fue entonces cuando se me ocurrió una gran idea. Convencí a Marc de que pasara droga en los locales. Yo lo protegería, estaríamos a salvo y viviríamos a todo trapo. Coches de lujo, una gran casa alejada de este pueblo de mierda, viajes..., me daba igual lo que pensaran. ¿De dónde saca el dinero si Cristina no trabaja? La mayoría cree que estoy en paro, que soy ama de casa, ya te lo dije. Si hubieran sabido que era poli no podría haber llevado a cabo mi plan. Por suerte, siempre he sido muy discreta y, gracias a Silvia, nunca tuve el protagonismo suficiente para que nadie se interesara por mi vida.

Llevaba tiempo sospechando algo raro en el comportamiento de Marc y mi hermana. Miradas que no eran normales durante las comidas familiares..., así que pensé: «Si no puedes con el enemigo, conviértete en su aliado». A Silvia la tenía de mi lado, eso creía, pero a Jan no. Y mi primo es fundamental en esta historia. Nunca me gané su afecto ni su confianza; me miraba con indiferencia, como si no existiera, mientras Silvia parecía ser todo su mundo. Había un rollo raro entre ellos, sí, pero nada que hiciera pensar en una relación sexual, como escribiste en tu mierda de libro.

¿Quién crees que le dio al pobre diablo de Jan los 20.000 euros para que Carlota retirara la denuncia y desapareciera del mapa? Yo misma; él no tiene dónde caerse muerto. Desde la sombra, lo ayudé a salir del pozo con una condición: quería ver con mis propios ojos cómo mi hermana se follaba a mi marido. Jan cayó en la trampa y, para mi sorpresa, aceptó. Traicionó a Silvia y a Marc, a quien siempre detestó porque se llevó el corazón de su querida prima. Con todo lo que ha hecho mi marido por él… ¿Todavía crees que Jan es de fiar?

La respuesta es tan simple, Alex, tan simple… Lo amaba. Amaba a mi marido con todo mi corazón. Lo mío era amor. Lo de Silvia era solo un capricho, una obsesión por tener algo que me pertenecía a mí, a su hermana mayor. Ella siempre quiso lo que yo tenía, nunca se conformó con lo que iba consiguiendo. La anorexia la dejó atontada. El pobre Daniel siempre estuvo ahí, pero ella ni puto caso. Silvia necesitaba a Marc los miércoles a las seis de la tarde en el sitio de siempre en Barcelona; de vez en cuando retozando en la casa de la granja, en la misma cama donde has dormido estas noches. Los vi haciendo el amor en 2013. Recuerdo hasta el mes: octubre. Solo una vez. Ella encima, cabalgando sudorosa sobre él. Jan estaba a mi lado, me rogó silencio y, al cabo de pocos minutos, dejamos de mirar y nos marchamos. Mi primo me acompañó hasta las profundidades del bosque. Me permitió que gritara, que me desahogara dando golpes a los troncos de los árboles. Me machaqué los nudillos con solo visualizar a mi hermana con mi marido. Jamás he podido quitarme esa imagen de la cabeza. Jamás.

Disimulé durante años, traté de centrarme en mi trabajo y en el dineral que Marc traía a casa fruto de sus negocios turbios, como si eso compensara sus escarceos con mi propia hermana. Permití que siguieran acostándose siempre y cuando Marc durmiera conmigo cada noche. Pero un día, de repente y sin premeditación, me volví loca. ¿Sabes cuándo ocurrió? El día en el que me enteré de que Silvia estaba embarazada. Daniel, que por aquel entonces confiaba en mí, me lo dijo. Encontró un test de embarazo positivo en la basura. Él también sabía que el hijo que esperaba mi hermana no era de él; hacía meses que no se tocaban. No le llegué a confesar que se tiraba a mi marido, no podía humillarme de esa forma. Fui a hablar con Jan. No fue capaz de negármelo. Le rogué a Daniel que guardara el secreto, pero sabía que tarde o temprano se iría de la lengua. Creo que eso lo hizo enloquecer un poquito, ¿no crees?

Un embarazo no se puede ocultar como se oculta una infidelidad, Alex. Es más complejo. ¿Qué habrían dicho de mí si Marc, al saber que iba a ser padre, la hubiera elegido a ella en lugar de quedarse conmigo, que no le he podido dar hijos? ¿En qué lugar habría quedado yo?

Enterré a Silvia en los alrededores de la fábrica que mi padre, por suerte, abandonó tras perder a su hija pequeña. Siempre he tenido el don de adelantarme a los acontecimientos. ¿Quién iba a pensar que Silvia estaba aquí tan cerca? Y, además, las estadísticas están de mi lado. ¿Sabías que la probabilidad de que una mujer mate a otra mujer es solo de un dos por ciento?

Fue más fácil de lo que imaginé. No necesité trazar ningún plan. Silvia, como siempre, vino a mí, sin más.

27 DE JULIO DE 2017

—

SILVIA

Aún estoy temblando cuando cojo el coche, salgo del *parking* y emprendo el camino en dirección a Montseny. La conversación con Jan ha durado apenas cinco minutos, suficientes para asimilar la situación en la que me encuentro, lo urgente que es que hable con Marc antes de que se entere por otra persona. Por mi propia hermana, si es cierto lo que me ha dicho mi primo.

Lo sabe.

Durante un rato he dado un paseo sin rumbo por la ciudad para retrasar mi regreso al pueblo. Ahora mismo todo se me hace cuesta arriba. Y, lo peor, no quiero ver a Daniel. Me da miedo.

—Cristina lo sabe todo, Silvia. Cuidado.

—¿También sabe que estoy embarazada? —he preguntado llevándome la mano a mi vientre en un gesto protector.

—Sí. Silvia, si la ves, por favor, vete. Vete del pueblo, quédate un tiempo en Barcelona, que no te encuentre. Sé lo mucho que te enfadaste ayer conmigo por pedirte que dejes a Marc, que no te conviene un tío así, que nunca se va a ir contigo aunque esperes un hijo suyo, pero…

—¡Inventaste que está metido en rollos de drogas, Jan!

—¡Eso es verdad, joder!

—Ni se te ocurra volver a mentirme.

—Te juro que no te miento —ha murmurado con la voz rota, como si le hubiera partido el corazón—. Por favor, ten cuidado con tu hermana. Por la forma en la que hablaba no parece muy en sus cabales.

—¿Quiere venganza? ¿Eso es lo que quiere? ¿Va a matar a Marc? ¿A mí? ¿A los dos? Por favor, Jan, es mi hermana. Has visto muchas películas —me he reído.

Decepcionado, se ha guardado el móvil de Marc en el bolsillo de su tejano y se ha ido.

Conozco las curvas que conducen al pueblo como la palma de mi mano, pero ahora mismo necesitaría parar, cerrar los ojos y descansar. Deseo no encontrar a Daniel cuando llegue a casa; hoy no podría mirarlo a la cara. Aún lo visualizo en la calle, frente al edificio donde está el bufete del que mañana a estas horas me despediré, y me entran arcadas al saber que me estaba controlando. Que, al igual que Cristina, lo sabe. Daniel lo sabe. Y todos lo sabrán.

—Tienes que tomar una decisión ya. Pronto. Ahora —digo en voz alta, sin atender a los ruidos espeluznantes que hace la radio cuando el dial se pierde a medida que avanzo por la carretera.

Más adelante atisbo una silueta corriendo. La distinguiría con solo verle un pie o una mano. Es Cristina, mi hermana.

Y lo sabe todo, joder.

Soy la peor persona de este mundo.

Arrepentida por estos diez años de mentiras, levanto el pie del acelerador, freno cuando llego a su altura y apago el motor. Me quito el cinturón de seguridad y le abro la puerta del copiloto, pero ella, que también se ha detenido, ni se inmuta. No tiene intención de subir. Lleva el cabello corto hacia atrás, recogido con una diadema negra; su rostro resplandece en el ocaso del atardecer y gotitas perladas de sudor le cubren la frente. ¿Qué le pasa? ¿Por qué no se mueve? Sin decir nada, bajo del coche. Recuerdo lo que Jan me ha dicho: «Lo sabe todo. Si la ves, por favor, vete». Tonterías. ¿Por qué tendría que huir de mi propia hermana?

—Cristina, ¿estás bien? —le pregunto situándome frente a ella.

—¿Que si estoy bien? ¡¿Que si estoy bien, maldita zorra?!

Me agarra por las muñecas arrastrándome hasta la cuneta, sin posibilidad alguna de que me pueda zafar de ella. Pongo la mente en blanco mientras me sacude; mi cuerpo zarandeado cual muñeca de trapo. A lo lejos, suena el motor de un coche. Viene alguien.

—¡Por favor! —grito.

Pero está demasiado lejos para que pueda oírme.

—Todo este tiempo, Silvia. Todo este tiempo te has follado a mi marido. ¡¿Es que no tienes decencia?!

—¡Lo amo! —exploto—. Lo amo y él me ama como jamás podrá amarte a ti. ¡Vamos a tener un hijo!

Las primeras estrellas aparecen tímidamente en este cielo que en pocos minutos será negro. Pese a la penumbra, distingo el coche de Berta, una vecina del pueblo. Se ha detenido justo en el momento en el que Cristina me ha rodeado con sus brazos para, acto seguido, cuando Berta pisa el acelerador y se aleja, soltarme. No esperaba que Cristina me fuera a soltar, así que, en un intento de alejarme de ella, tropiezo y caigo al vacío a mi suerte. Pero hoy la suerte no está de mi lado, no. Me precipito a cámara lenta sin perder detalle de la expresión de la cara de Cristina; una mezcla de satisfacción y terror cuando se da cuenta de que mi cabeza está a punto de impactar contra una piedra afilada de la cuneta que da comienzo a las profundidades del bosque.

Lo último que oigo es el sonido de mi cráneo: hace *crac*.

Luego, todo se vuelve oscuro.

En realidad, fue un accidente, Alex. Un terrible accidente… Se cayó, se golpeó la cabeza y murió; así de fácil. Qué
fina es la línea que separa la vida de la muerte, ¿no te parece? Y fíjate que lo que más me molestó de todo es que la
vecina creyera que yo era Daniel. Que era un tío. Por eso
decidí volver a dejarme el pelo largo. En fin, se lo perdono.
Berta también está muerta. Me dijeron que sufrió; me ale-
gré por ello.

Cogí todas las pertenencias que había en el coche de mi
hermana. Las quemé horas más tarde, incluido su móvil, repleto de mensajes asquerosos y lascivos de mi marido. Dejé
el coche tal cual en la carretera, sin tocar nada. Arrastré su
cuerpo inerte por el bosque hasta el interior de una cabaña
donde nunca entra nadie, ni siquiera a hacer botellón o a
drogarse. Dicen que hay fantasmas. La gente le tiene miedo
a ese lugar, nadie la encontraría allí. Pero tenía que darme
prisa. Fui a por mi coche, la metí en el maletero y, como la
fábrica de mi padre estaba cerrada a esas horas, la llevé hasta allí y la enterré en la parte más alejada del terreno, donde
nunca la buscarían. Sabía que la búsqueda se limitaría al
bosque y al pantano; me sentía henchida de emoción al ser
la única persona que conocía el paradero de mi hermana, y
la posibilidad de manipular pruebas desde dentro también

me ayudó a salir airosa y a dejar de atormentarme por la ínfima posibilidad de que me descubrieran.

Pero un año más tarde, cuando creía que el arrebato de furia de mi padre contra la chapuza de investigación policial ya no me iba a dar problemas, aceptaron hablar con una periodista curiosa y obsesionada con Silvia. ¿Por qué esa obsesión, Alex? ¿A ti también te hubiera gustado parecerte a ella? ¿También crees que tenía los ojos más bonitos del mundo? ¿O, quizá, más allá del interés por mi primo, querías subir peldaños siendo tú la heroína que descubriera qué le pasó? Has tenido la respuesta delante de tus ojos todo este tiempo y no has sabido verla. Ni siquiera te has acercado, aunque reconozco que interpreté el mejor papel de mi vida cuando viniste a nuestra casa a hacernos aquella entrevista.

Dios, cómo pasa el tiempo…

Con ayuda de un buen amigo *hacker*, pinché el móvil de mi marido. A lo largo de estos últimos años, he escuchado cada una de sus conversaciones, especialmente las que ha tenido con mi primo. No te querían en este pueblo. Temían que descubrieras que Marc era el amante de mi hermana, qué tontería. Hay cosas peores de las que podrías haberte enterado antes, cuando aún estabas a tiempo. Solo así te habrías salvado. Fue entonces cuando supe que Jan aceptaba dinero de Marc para mantener su silencio. No me vino mal; si se hubieran enterado de que mi marido se acostaba con Silvia, se habría metido en problemas, seguro.

Luego te fuiste, no volviste a dar señales de vida y más tarde salió tu libro. Qué expectación. Mi madre se mató; ah, no, perdona, fuiste tú quien la mató, y yo, sola y aburrida, decidí que era el momento de encontrar al asesino de Silvia. Empecé a pensar en los candidatos más creíbles. Alguien débil, atormentado y, en cierta manera, peligroso. A Jan lo dejaron ir pronto pese a que no dijo la verdad. No estaba en la granja, sino en Barcelona, pero podía guardármelo como comodín, lo cual me va a venir fenomenal hoy. Respecto a Daniel, él también mintió, algo que ni siquiera se dignaron a corroborar. No jugaba un partido de fútbol, pero tampoco estaba en el pueblo. La noticia de que Silvia tenía un amante había saltado a la prensa, así que tenía un motivo verosímil para convertir al novio en el asesino. Celos. Los celos siempre funcionan en estos casos. Reconozco que lo ayudé un poquito para que no lo agobiaran. Estando dentro, todo es más fácil.

Así que… qué podía hacer, qué podía hacer…

Lo primero, trasladar lo que quedaba de mi pobre hermana. Desenterré sus huesos y los volví a enterrar lejos en el bosque, cerca del punto donde dejó su coche. Horas más tarde, fui a visitar a Daniel. Su actitud era rara; me miraba como si supiera mucho más de lo que decía. ¿Sabes qué te decía en esos dos mensajes que me encargué de eliminar antes de que los leyeras? ¿Quieres saberlo, Alex? Te decía que el amante de Silvia era Marc y que, aunque no estaba del todo seguro, después de años rompiéndose la cabeza había llegado a la conclusión de que yo era la asesina de Silvia. Quiso hablar contigo, te lo quiso decir por si él también desaparecía. ¿Por qué a ti? Creo que supo cuál sería su destino desde el momento en el que me abrió la puerta de su casa aceptando beber una copa de vino conmigo. Quería sacarme información. Descubrí que la grabadora de su móvil estaba encendida. Pobre inocente. Horas más tarde estaba muerto, colgado de un árbol. No pudo ser él quien envió el último mensaje, claro, fue idea de mi padre, que en todo momento me creyó cuando le dije que Daniel la había matado cuando se enteró de la aventura de Silvia.

—¿Es cierto? ¿Silvia tenía un amante? —preguntó papá descolocado, sin acabar de creérselo del todo.

—Sí. Pero no sé de quién puede tratarse —mentí.

No hay más ciego que el que no quiere ver, ni nadie tan impresionable como el que necesita una respuesta, aunque sea mentira.

Mi padre me ayudó a trasladar hasta el bosque el cuerpo de Daniel, atontado e inútil por la droga que le puse en la copa. Creo que no se enteró de nada. Si te sirve de consuelo, no sufrió, y eso que dicen que morir ahorcado es una agonía. Vi la sonrisa de satisfacción de mi padre. Las lágrimas cayendo por su cara al saber que Silvia estaba enterrada ahí bajo sus pies, asegurándonos de no dejar huellas ni pisadas, aunque, si dejamos alguna, la lluvia que cayó esa noche nos ayudó a que se eliminara. Antes de ahorcarlo en el árbol, le dimos a Daniel el honor de escarbar sobre la tierra húmeda para ofrecer una pista sobre el paradero de la famosa Silvia Blanch. Sin embargo, no salió todo lo perfecto que esperaba. Mi padre, pobre desgraciado, es el único que aún sigue creyendo que Daniel mató a su hija predilecta. Fue él quien se deshizo de las copas, pero no limpió los cercos de la mesa; yo estaba ocupada esmerándome en copiar la letra exacta de Daniel para su cartita de despedida. Y luego está el tema de la droga que lo dejó pajarito..., fue la que me delató en una autopsia que esperaba poder manipular, y tú tuviste que volver.

Sabía que podías causarme problemas. Palpé tus sospechas respecto a mí cuando intentaste entrar en casa de mi hermana por la fuerza. Tuve miedo, sí, yo también sé lo que es el miedo, Alex. Intenté quitarte de en medio tirándote por la cuneta y me rayaste el coche, hija de puta. Tuve que pasarme toda la noche arreglándolo. Pero más miedo he tenido esta mañana, hace solo un par de horas, al escuchar la última conversación entre Marc y Jan. ¿Sabes que tu novio ha sabido durante todo este tiempo que fui yo quien le hizo daño a su querida prima? Me pregunto por qué no habrá dicho nada... También te lo ha ocultado a ti, deberías estar furiosa con él. Si te hubiera hablado de sus sospechas sobre mí, no habrías venido hasta aquí y estarías a salvo. Tiene pensado ir a comisaría esta tarde para contar la verdad. ¿Le creerán? ¿Tú qué crees, Alex? Ese siempre ha sido su miedo. Nadie lo quiere, nadie cree en él. Oh, pobrecito. Pero no le dará tiempo porque después de matarte a ti voy a ir a buscarlo. Sus huellas estarán en esta fábrica, en la pistola que te va a volar los sesos, y la culpabilidad no le dejará vivir. Se irá a su granja y se suicidará. Esta vez lo voy a hacer bien, de manera que todos piensen que fue Jan quien te hizo desaparecer.

La desaparición de Alejandra Duarte. Suena bien, digno título para una novela, ¿verdad? En el fondo soy buena chica. Seguiréis juntitos en el más allá, y yo por fin seré libre y podré vivir en paz con mi marido sin que nadie más se interponga en mi camino.

ALEX

Me mareo. El frío se ha convertido en calor. La mirada de Cristina es pura maldad; el diablo en su interior. La pistola sigue apuntando a mi frente. Sus palabras, la historia real de lo que le ocurrió a Silvia y a Daniel, bailan en mi cerebro embotado. Intento permanecer imperturbable, deseando con todas mis fuerzas no delatar el terror y el asco que me revuelven por dentro. No quiero que sepa lo que estoy pensando. No me interesa alterarla. Me niego a darle la satisfacción de que vea que estoy sufriendo.

—Yo nunca sospeché de ti —digo con sinceridad.

—Ahora eso da igual. Ya tienes la exclusiva —añade balanceando con suavidad la pistola en la mano, doblando y estirando el codo, como si no quisiera apuntarme, como si solo jugara conmigo—. Lástima que el mundo se va a quedar sin saber la verdad.

Se me saltan las lágrimas de pura impotencia.

—Jan lo sabía —murmuro.

—Desde el principio —afirma hiriente—. Jan lo sabía todo desde el principio y no ha hecho nada para protegerte.

De pronto, un estruendo.

—¡Basta, Cristina!

Conozco esa voz; una silueta grande y alta aparece tras uno de los muros de la gran nave. Su presencia amenaza con terminar con los planes de Cristina y, por un momento, me siento a salvo hasta que la veo reírse sin inmutarse por el inesperado invitado. Agarra la pistola con más fuerza y, cuando creo que le va a disparar a él, soy yo la que recibe una bala que arde en mis pulmones en el acto, arrojando sin piedad mi cuerpo hacia el vacío.

No es un sueño ni un delirio.

No es fruto de mi imaginación.

Estoy tirada, desangrándome, con media cara apoyada en el suelo y un ojo abierto.

Empiezo a ver borroso mientras dos voces se desfiguran en una noche que no existe, que no es real. Silvia, a lo lejos, vestida con un camisón blanco, me sonríe y me mira con sus ojos brillantes. Me dice que vaya con ella. Que se acabó.

«Ya tenemos a la asesina, Alex —susurra viniendo hacia mí—. Ya sabes qué me ocurrió.»

Otro disparo atronador ensordece mis oídos. Las paredes de cemento vibran; parece que de un momento a otro se me van a caer encima.

Un sonido gutural sale de mi garganta seca.

Tendría que haberle hecho caso a mi madre, a Montse…, a todos. No debería haber vuelto. Ahora ya es demasiado tarde.

Pero no duele.

Quema, pero ya no duele.

Apenas siento nada. Solo hay un vacío.

Ignoro el grito atormentado que acaba de sonar desde algún punto que no ubico.

Solo son fantasmas.

Ya no me puede pasar nada.

Aquí solo hay paz.

Y una luz.

Vislumbro una luz cegadora que me atrapa y me envuelve en su calma.

DOS SEMANAS MÁS TARDE
—
JAN

Mi padre siempre decía que lo primero es la familia, pero murió sin entender que la familia es aquella que tú eliges, no la que te viene impuesta. No podía haber caído en peores manos tras aquel accidente. Mi vida se convirtió en una absoluta mierda y mi carácter, a pesar de haberme esforzado en aparentar fuerza y entereza, se debilitó hasta el extremo de poner en peligro la vida de la única mujer por la que he sentido algo especial. La lástima es que ya no nos quede tiempo.

Traté de proteger a la periodista con mis silencios, pero ella tenía la mala costumbre de correr con una venda en los ojos hacia el peligro sin detenerse a pensar en las consecuencias. Sabía cosas sobre Silvia que le oculté al principio, sí, pero pese a conocer de primera mano la rabia que sentía Cristina por su hermana desde que la vio con Marc, no quise creer que pudiera haberle hecho algo, que fuera la responsable de su desaparición, aunque ahora se sepa que la muerte de Silvia resultó ser un jodido accidente. El que tenía una venda en los ojos era yo, queriendo buscar otros culpables hasta que, al final, me di de bruces con la realidad, decidido a hacer justicia, tal y como le dije a Marc en nuestra última conversación, aún con el temor de que la Policía no me creyera. Cuando la autopsia reveló que alguien había drogado a Daniel, pensé lo peor. Lo que había negado siempre. «Fue Cristina», caí entonces, pero cometí el error de seguir callando.

Durante un tiempo, barajé posibles culpables: podía ser Daniel, que nunca me pareció trigo limpio y mintió con respecto al lugar donde se encontraba aquella noche. O su tío Artur, soltero empedernido, siempre detrás de Silvia como una obsesión. Berta aseguró ver a un hombre, no a una mujer. Le advertí a Silvia que tuviera cuidado con su hermana, que lo sabía todo, pero la pista de la testigo me despistó y me hizo creer que no, que no tuvo la mala suerte de encontrarse con Cristina. Solo quise advertirla de que su hermana sabía desde hacía años lo suyo con Marc y estaba furiosa…, solo eso. Pero todo lo que toco está destinado a corromperse sin que pueda hacer nada por evitarlo.

Es fácil engañarse a uno mismo, pero es imposible mantenerlo durante mucho tiempo cuando la corazonada termina siendo tan fuerte que hasta eres capaz de imaginar cómo ocurrió. Nadie sabe lo que es capaz de hacer una mente enferma como la de Cristina cuando le mostré lo que sus ojos jamás deberían haber visto. Nunca mires a través de una ventana si no estás preparado para ver lo que hay detrás. Cometí el error de dejarme llevar por ella, de ceder a sus órdenes, a su chantaje, de aceptar aquel maldito dinero para deshacerme de Carlota. Quiero creer que por sí misma, de tanto elucubrar, hubiese descubierto la infidelidad de su marido con o sin mi ayuda.

Cristina tardó en desatar al monstruo que llevaba dentro. Pero los monstruos siempre terminan saliendo y, cuanto más tiempo han estado escondidos, más mortíferos son. Tienen la capacidad de pudrir lo poco bueno que queda en el mundo.

Si matas una vez, puedes matar dos; cuando después de cometer dos asesinatos has salido impune, sabes que puede haber una tercera ocasión sin riesgos y luego una cuarta, una quinta…

Las que sean necesarias para alcanzar tus deseos sin tener que competir con personas mejores que tú que estropeen tu momento. Así era como lo veía Cristina. Eso es lo que pasó.

Pero tardé en darme cuenta.

Y ahora todos están muertos.

«¿Pude haber evitado la muerte de Silvia?», me pregunto cada noche mientras recorro los pasillos del hospital. La visualizo una y otra vez en Barcelona, asustada por mi presencia, descolocada cuando le mostré el móvil que le robé la tarde anterior a Marc y le dije que tuviera cuidado con Cristina. Simplemente, no me fiaba de ella, pero de ahí a que fuera culpable… No, no lo sabía. No sabía nada en realidad. La había visto furiosa, la mirada distinta, cargada de ira, dando golpes a los árboles y arrasando con todo lo que encontrara a su paso. Percibí su odio. Vi al monstruo. Algo en mí sabía que estaba esperando el momento perfecto para acabar con la culpable de su desolación. Y, como si un sexto sentido se hubiese activado en mí cuando Daniel murió, supe que Cristina se anticipó para que Silvia, dispuesta a todo para que Marc la eligiera, no pudiera llegar a decirle que estaba embarazada.

El libro *Todos mienten* me dejó en mal lugar, pero no hice nada para desmentir la historia. Preferí esconderme a decir la verdad. Volvieron las malas miradas y la desconfianza en el pueblo. Algún interrogatorio en el que tuve que reprimir las ganas de confesar mis hipótesis, el caos explotando como una bomba en mi cabeza, porque de haber soltado el lastre, se habrían reído de mí preguntándome: «¿Tienes pruebas?».

Se necesitan pruebas para todo. La intuición o las cosas que has visto, pero que no puedes demostrar no ayudan a que te crean, y menos en un caso como el de Silvia.

Pero, tal y como me dijo Cristina el verano en el que conocí a la periodista, todo se acaba descubriendo.

Tarde o temprano, la verdad sale a la luz.

ALEX

Hospitales.

Aquí siempre huele a antiséptico, la comida es tan mala e insípida que dan ganas de estampar la bandeja contra la pared, y los pasos rápidos de los zuecos, arriba y abajo, abajo y arriba, a todas horas, impiden que me relaje y me crispan los nervios por mucho que me rueguen que debo estar tranquila. Va a resultar imposible después de lo vivido.

Ya no confío ni en mi propia sombra.

Pero no todo es malo, por supuesto. Estoy viva. Es un alivio y una gran suerte seguir viva. Atrás queda el recuerdo del ardor, del dolor, del ahogo. De la sensación de asfixia y el sabor a metal de la sangre, con el aprendizaje de que las guerras solo las cuentan los supervivientes. Es en lo que me he convertido. En una superviviente, después de haber visto de cerca los ojos de la muerte. La bala que me disparó Cristina pasó a escasos milímetros de mi pulmón izquierdo. Faltó poco para que me diera en el corazón. La hemorragia fue grave como para que los médicos se preocuparan cuando Josep Blanch me trajo al hospital, pero tras un coma inducido y cinco días en la UCI, me estoy recuperando bien. Lo veo en las caras de alivio de mis padres, que no me dejan sola, compartiendo este olor constante a desinfectante que no puede ser bueno para la salud. Ni la decoración navideña en las paredes alegra un poco este lugar.

Sé que los primeros días la prensa anduvo merodeando. Hasta me pusieron vigilancia en la puerta, como a las celebridades, según me han contado. Tumbada en el frío suelo de la fábrica, mientras me encontraba en el umbral entre esta vida y la siguiente, oí un golpe seguido de unas voces susurrantes, y luego un disparo. El mismo disparo que mató a Cristina Blanch que, tras ser descubierta por su padre escondido en la fábrica escuchando la verdad, se pegó un tiro en la sien y murió en el acto, cayendo a mi lado. Pero no la vi. Por suerte, no la vi; su recuerdo me atormentaría aún más de lo que ya lo hace cada día. Josep Blanch está en prisión. Se entregó él mismo después de dejarme en el hospital. Lo condenarán por ser cómplice en el asesinato de Daniel, por creer y confiar en la trampa que le tendió su hija. Pero a él le debo mi vida. Si el padre de Silvia no hubiera tenido la reciente costumbre de pasar unas horas de la mañana en la fábrica, invadido por la nostalgia de un tiempo mejor, ahora estaría muerta.

Muerta como Silvia Blanch.

—Ha venido a verte alguien —dice mamá.

—No tengo ganas de visitas —contesto enfurruñada mirando hacia la ventana, cuyas vistas son magníficas. A veces, con un poco de suerte, hay algún trasero bonito entre los pacientes de las habitaciones del bloque de enfrente—. Y si vuelve a venir Dídac, lo mandas a la mierda.

—No es Dídac, Alejandra. Es alguien que no se ha movido del hospital desde los primeros días, cuando estabas en la UCI.

Antes de oír sus pasos, sé quién es. Jan entra con timidez y saluda a mi madre, que se va a la cafetería. Es adicta al café, dice que le viene bien para la tensión arterial.

Después de todo, no sé ni cómo mirarlo.

—Lo sabías. —Se me quiebra la voz cuando el pensamiento se coordina con mi garganta y suelto lo primero que se me pasa por la cabeza—. Supiste desde el principio que fue Cristina y me pusiste en peligro.

—No. No lo sabía, lo empecé a sospechar cuando se supo que alguien drogó a Daniel, pero no tenía nada con lo que poder inculparla. ¿Quién me iba a creer a mí después de todo? Tú sabes cómo me trata la gente, Alex. Lo viste. Cristina tenía todas las de ganar contra mí. Cuando descubrieron el cadáver de Daniel, antes de que se supiera lo de la droga en su copa de vino, de verdad quise creer en la hipótesis de que había sido él.

—Mentira. Nunca llegaste a creer que fue Daniel. Sabías que Cristina era la mano invisible que manipuló los archivos y la información en las oficinas policiales para que el trabajo de los agentes fuera una chapuza y no descubrieran nada sobre Silvia. Que se le fue la mano con la muerte de Daniel... Tú mismo, por dinero, la arrastraste a descubrir la traición entre su marido y su hermana; cualquier persona acabaría loca después de ver con sus propios ojos algo así. Y también sabías que se enteró de que Silvia esperaba un bebé de Marc, suficiente motivo, con lo loca que estaba, para querer quitársela de en medio. Aun así, te limitaste a advertirme que no le contase nada, que no hablase con ella, en lugar de decirme la verdad. En ningún momento me mencionaste que podía ser ella. Me lo ocultaste todo. Me mentiste, Jan.

—No, Alex, joder. No fue así. En ningún momento quise que estuvieras en peligro. La testigo dijo que había visto a Silvia con un hombre, por eso pensé que había sido Daniel, hasta sospeché de su tío, Artur. Pero ¿de Cristina? ¿Cómo pudo hacer desaparecer así a su propia hermana? No sabía nada, Alex, tienes que creerme. La temía, claro que la temía y, por tu seguridad, no quería que te acercaras a ella, pero nunca pensé que fuera capaz de hacer algo así —rebate desconsolado.

—¡Cristina creía que yo sospechaba de ella cuando no era verdad! Mira, Jan, será mejor que te vayas. He estado a punto de morir por culpa de tu cobardía. Por no haber ido antes a comisaría y contar la verdad, lo que sospechabas. Arriesgarte por una maldita vez en tu vida.

—Lo entiendo. Solo venía a despedirme.

—Ajá. Que te vaya bien.

No soy yo la que habla, es el orgullo. Un orgullo que me está destrozando. Mi propia indiferencia me rompe el corazón en mil pedazos.

—Lo mismo, Alex. Te deseo lo mejor.

Me estoy conteniendo para no echarme a llorar como una cría. Últimamente estoy más sensible de lo normal. A Jan le tiembla el mentón, también está haciendo un esfuerzo para no demostrar sus emociones. A mí me gustaría decirle que voy a echar de menos los atardeceres desde la granja, las Coca-Colas, nuestros silencios, nuestras miradas…, esas miradas…, y también nuestros cigarrillos a medias; no obstante, con medio pulmón perforado, a ver quién es la burra que se pone ahora a fumar.

Sabiendo que recordaré este momento como uno de los más dolorosos de mi vida, contemplo a Jan cabizbajo saliendo de la habitación. Puede que no lo vuelva a ver más, que este haya sido nuestro último encuentro, aunque con lo pequeño que es el mundo y la de vueltas que da la vida nunca se sabe. Obedeciendo mis órdenes, acaba de salir por la puerta y, a pesar de todo, no puedo evitar echarlo de menos.

Lo advirtió Cristina Blanch en aquella entrevista que ahora se me hace lejana en el tiempo:

Hace un año fue mi hermana, pero hoy, mañana, o la semana que viene puedo ser yo. Le puede tocar a cualquiera.

Estuve a punto de ser yo.
Si volviera a trabajar en un periódico, mi sumario del día
sería:

A Silvia Blanch la mató su otra mitad cuando tenía el
mundo a sus pies. Fue uno de los siete pecados capitales,
la envidia, la que llevó a su asesina a cometer una locura
de la que nadie está a salvo.

Nadie está a salvo.
Quien más, quien menos, miente.
Todos mienten.

AGRADECIMIENTOS

—

Quiero dar las gracias a todos los que, directa o indirectamente, me han ayudado a dar forma a esta novela, una de las que más he disfrutado escribiendo, especialmente por Alex, nuestra protagonista, que tiene más de mí que ningún otro personaje al que he dado vida.

A mi agente Justyna Rzewuska. ¡Qué suerte la mía encontrarte! Gracias por acompañarme en cada aventura desde hace tres años y dar siempre lo mejor de ti.

A mis editoras Raquel Gisbert y Lola Gulias, con quienes es un lujo trabajar. Gracias por vuestro entusiasmo y magnífico trabajo, por creer en esta novela desde el principio.

Gracias a todo el equipo de Planeta que ha trabajado en *El último verano de Silvia Blanch*. No podría haber encontrado un hogar mejor.

A mis padres, por el apoyo diario.

A Jordi, solo una palabra: *siempre*.

A mis cuatro hijos, mis maestros, lo mejor que me ha pasado en la vida.

A quien me inspiró para el personaje de Jan. Será mi secreto.

A Estefanía Yepes y Noelia Hontoria, las primeras en descubrir qué le ocurrió a Silvia Blanch en el verano de 2017. Gracias por vuestras sugerencias y consejos.

A los lectores que siempre estáis ahí, esperando un nuevo título y recomendando mis libros: Elisabeth & Pep, María Hernando, Ignacio Palacios, Rosa Vázquez, Yolanda Morato, Alba Castillo, del blog *Gafas de leer,* y Vanessa Ruiz.

Y a ti, lector, lectora, GRACIAS por hacer que Silvia, Alex y el resto de los personajes hayan cobrado vida con tu lectura. Deseo de corazón que hayas disfrutado de esta novela y espero que nos reencontremos en la siguiente historia.

Descubre el nuevo libro de Lorena Franco:

Dos muertes, dos desapariciones,
un amor inesperado,
demasiados secretos.

SÁBADO 6 DE ABRIL DE 2019
—

EVA

En el momento en que descubrí la sangre de mi compañera de piso salpicada en la pared y en el cabezal de la cama como si le hubieran volado los sesos, me prometí que nada de lo que hubiera ocurrido en esa habitación influiría en mi vida. No quería problemas y mucho menos policías merodeando por el piso heredado de mi abuela, quien, tres días antes de morir, me soltó que ese lugar era un imán para las desdichas y para la oscuridad, que anduviera con cuidado. Pero no le hice caso dada su demencia senil. Supongo que una parte inconsciente de mí se preparó para algo así, hasta yo misma me sorprendí del temple con el que limpié a conciencia la sangre, aun sabiendo que esta no desaparece del todo pese a ser imperceptible a la vista.

Pero toda decisión tiene sus consecuencias. Y esas consecuencias, tarde o temprano, te encuentran, aunque creas que eres ajena a ellas. La curiosidad siempre termina imponiéndose a la razón, sobre todo cuando la culpa trastoca tus planes. Lo que ocurrió después me impidió mirar hacia otro lado como si nada; al fin y al cabo, Charlotte, la parisina joven y perfecta que me encandiló con su marcado acento francés, llevaba solo dos semanas viviendo conmigo. Poco tiempo para cogerle cariño. Poco tiempo para sospechar que, tras esa fachada y esa extraña discreción, se escondía una persona distinta a la que parecía ser.